PROFESSION JOURNALISTE

FRANÇOISE GIROUD

PROFESSION JOURNALISTE

CONVERSATIONS AVEC MARTINE DE RABAUDY

HACHETTE
Littératures

Ouvrage publié sous la direction de
Sylvie Pierre-Brossolette

« J'ai beau faire, tout m'intéresse. »
Paul Valéry.

CERTAINS L'APPELLENT
« FRANÇOISE »

Pour écrire, Françoise Giroud n'a besoin de personne. Alors pourquoi ce livre ? Parce que, journaliste, « j'ai raté » Françoise Giroud. Chaque fois que j'arrivais dans « ses » journaux, elle en était partie. D'abord à *Elle*, qu'elle anima, pendant sept ans, puis à *L'Express*, qu'elle créa avec Jean-Jacques Servan-Schreiber et dirigea pendant vingt ans. Ces rendez-vous manqués ont fini par me donner l'impression d'une faute professionnelle.

Ce projet d'entretiens, je l'ai souhaité au moment de franchir la ligne d'arrivée du métier que j'avais découvert en août 1967 en entrant à la rédaction de *Paris Match*.

Dans l'odeur grasse de l'encre des machines de la *Sirlo*, l'imprimerie de la rue du Mail, qui fabriquait

Paris Match, c'est au cours de nuits blanches qu'apprentie secrétaire de rédaction je calibrais, relisais, légendais les articles des autres. Les vrais journalistes. À vingt ans, j'étais fière d'apprendre le métier, sur le tas, dans l'un des deux plus célèbres magazines de la presse française. L'autre, c'était *L'Express.* L'avenue des Champs-Élysées les séparait de quelques centaines de mètres. Le *Paris Match* de Roger Thérond avec ses aventureux reporters-photographes, *L'Express,* de Françoise Giroud et JJSS avec ses prestigieuses signatures régnaient sans partage sur l'actualité hebdomadaire. Pendant un temps « Françoise » et « Roger » travaillèrent ensemble. Lorsque Thérond fut banni par Jean Prouvost, son puissant propriétaire, à l'issue du pseudo-putsch de la rédaction de *Match* en mai 1968, les seigneurs de la rue de Berri offrirent une terre d'asile à l'exilé de la rue Pierre-Charron, avant qu'il ne réintègre son fief, en 1976.

L'Express aussi traversera des crises de pouvoir. Françoise Giroud, dans ces conversations, ne les élude pas. Comme Roger Thérond, elle en pâtira.

C'est sur sa vie de journaliste, qui l'habite tout entière – passion fixe et intacte depuis plus de soixante ans – que je désirais l'entendre. Loin de moi l'idée d'une biographie qui, selon Oscar Wilde, « ajoute une crainte à la mort » pour celui qui en fait les frais.

Souvent je questionnais Angelo Rinaldi et Danièle Heymann, mes chanceux amis, qui avaient tant appris auprès d'elle à *L'Express.* Il y a quelques mois, rencontrant Françoise Giroud, j'évoquai l'idée de cet ouvrage qui raconterait son itinéraire professionnel, demeuré unique.

À titre d'exemples, je lui citai *Le Métier de lire,* que Bernard Pivot avait publié avec Pierre Nora et, plus anciennement, *Interrogatoire,* les entretiens d'Emmanuel Berl avec Patrick Modiano. Je l'assurai d'éviter ce que m'avait raconté Mireille qui, partant le matin pour son « Petit Conservatoire », croisait Modiano et, en revenant le soir, le retrouvait encore au chevet de son philosophe de mari. Françoise Giroud ne fait confiance aux mots que posés sur le papier. Nous ferions donc une première version écrite des questions et des réponses pour, ensuite, la compléter oralement avant la rédaction finale. En souvenir des couvertures de *L'Express,* je proposai que chaque chapitre débute par une citation illustrant son thème et qu'elle commenterait. Nous avons travaillé selon la méthode Giroud : vite et intensément. C'est à travers les autres qu'elle parle d'elle, suivant en cela le conseil de son maître et ami Jean Renoir. Toute jeune, elle avait été sa scripte et c'est à lui qu'elle devait d'avoir appris et aimé le travail en équipe. Il lui avait transmis ce que, à son tour, elle aurait à cœur de transmettre.

Certains l'appellent « Françoise », ceux-là eurent le privilège de ses leçons particulières. Ils retrouveront, au long de ces pages, je l'espère, la griffe Giroud. Aux autres, je souhaite, comme pour moi, que ces cours de rattrapage soient leur « master class ».

Martine de RABAUDY

1

LE TRAVAIL

« **Jamais de ma vie je n'ai pu rester heureux un jour
sans travailler.** »
Jean Prévost dans *Dix-huitième année*.

FRANÇOISE GIROUD. Cette phrase me va comme un
gant. Je suis tombée dans le travail, si j'ose dire, à
quatorze ans et n'en suis toujours pas sortie. « À
quoi voulez-vous que je me repose ? », disait
Flaubert, autre grand névrosé de l'effort. Débrayer
plus de quarante-huit heures est une chose que je
suis incapable de faire. Le travail a tissé toute ma
vie. Remettre chaque semaine ma copie reste capital. Cela structure mon temps. Me donner du mal,
m'inquiéter, surveiller l'actualité pour voir si je ne
risque pas d'être dépassée lors de la parution du
papier, c'est le rythme de toute mon existence. J'ar-

rive à rester huit jours sans rien faire si je suis sur un bateau et regarde la mer. Seule occupation qui me décontracte. Pour des raisons familiales, j'ai dû gagner ma vie très jeune. J'ai débuté comme vendeuse dans une librairie... Mais j'ai raconté cela dix fois. Faites-m'en grâce !

MARTINE DE RABAUDY. *Après la librairie et le cinéma, où vous êtes scripte puis scénariste, travaillant avec les meilleurs, en particulier Jean Renoir, le journalisme va devenir et restera votre passion fixe. Il est arrivé dans votre destin comme un accident.*

Oui, si vous appelez la guerre un accident... Sans cela, sans doute serais-je restée dans le cinéma, où je gagnais bien ma vie et commençais à être connue. J'aurais rêvé de réaliser mes propres films, sauf que les femmes n'accédaient pas encore à la mise en scène. Aurais-je été bonne ? Je ne sais pas. Je possédais le savoir-faire, mais ne suis pas persuadée que j'aurais pu être une grande artiste. Au cinéma, pour que cela vaille la peine, il faut être un artiste. Dans le journalisme, il suffit d'être un très bon artisan.

Bref, en 1940, après l'exode, la débâcle et tout le reste, les plateaux de cinéma ayant tous fermé, je suis partie rejoindre ma sœur à Clermont-Ferrand. *Paris-Soir*, le principal quotidien du moment, s'était replié à Lyon, dans un hangar que lui louait le journal local. Je connaissais un peu, très peu, son directeur Hervé Mille, qui avait succédé à Pierre Lazareff,

14

exilé en Amérique. À Paris, il aurait été inabordable. À Lyon, dans ce hangar, ni huissiers, ni protocole, on circulait comme on voulait. J'ai poussé une porte et je suis tombée sur lui... Dans un petit bureau, devant une planche sur un tréteau, couverte de papiers. Il m'a tout de suite reconnue. Je lui ai rapidement expliqué mon cas : pas de travail. J'avais écrit trois contes, sachant que *Paris-Soir* en publiait un par jour. Si jamais... Il ne m'a pas laissé finir ma phrase, m'a arraché mes contes des mains, les a lus à une vitesse vertigineuse et a dit : « Le dernier n'est pas bon, les deux autres, je prends... » J'allais m'éloigner, après m'être confondue en remerciements, quand il a enchaîné : « Attendez, c'est vous qui faites du cinéma ? Vous connaissez les gens de spectacle ? Les artistes ? » J'ai bredouillé : « Oui, monsieur. » « Alors asseyez-vous là. Je vais vous donner du travail tout de suite. » Là, c'était en face de lui. J'y suis restée six mois.

Qu'est-ce que vous faisiez ?

Je l'observais, je voyais comment il titrait et corrigeait la copie, construisait le menu du journal. Une situation qu'aucun débutant ne peut avoir la chance de connaître. Je n'en ai eu aucune conscience, mais j'ai été imprégnée comme un buvard. Ce que j'avais à faire était simple, des « brèves » à propos de ce qu'on appelait « la vie parisienne », autour de personnages que je connaissais plus ou moins, parfois des articles plus consistants.

Le nom d'Hervé Mille ne dit plus rien maintenant. C'était un homme grand, aux épaules un peu voûtées, avec un regard d'un bleu rarissime, très raffiné, snob comme un phoque, qui à Paris ne fréquentait que des duchesses. Lyon en manquait, mais il y résidait deux ou trois Rothschild et trois ou quatre ambassadeurs en détresse. Hervé, que ses proches surnommaient Herveton, était un personnage essentiel de la presse d'avant-guerre et d'après-guerre. Son influence a opéré jusque dans les années 1970. Il fut, pendant plus de quarante ans, le bras droit de Jean Prouvost, un industriel qui possédait les lainières de Roubaix et n'avait qu'un dada : faire des journaux Propriétaire de *Paris-Soir* depuis 1930, il a créé *Marie-Claire*, racheté après la guerre un hebdomadaire de sport, *Match*, qu'il rebaptisera *Paris Match*, avec le succès que l'on connaît, puis lancera *Télé 7 jours* et dans la dernière partie de sa très longue vie – il est mort à quatre-vingt-treize ans – fera l'acquisition du *Figaro*. Mais c'est une autre histoire.

Votre père, Salih Gourdji, était journaliste. Il dirigeait, à Istanbul, l'agence télégraphique de presse ottomane qui fut confisquée, en 1915, par le gouvernement turc parce qu'il refusait de contribuer à la propagande allemande. Ne croyez-vous pas que devenir journaliste, c'était assurer, d'une certaine façon, sa relève, voire sa revanche ? Inconsciemment peut-être ?

Ni relève ni revanche. Mon père était un mythe,

comme tout père disparu trop jeune. Je n'éprouvais aucunement l'obligation de le continuer. Mais j'ai toujours été persuadée que l'écriture était ma vraie motivation. Que tout passerait par là. Si je me reconnais un père en journalisme, c'est Hervé Mille.

Au bout du compte, n'avoir pas suivi d'études universitaires, ce que longtemps j'ai pris pour un handicap, a été ma chance. Je me souviens de Claude Lévi-Strauss déclarant : « Quand j'ai compris que le fondement de l'Université, c'était : thèse, antithèse, synthèse, j'ai fui à toute allure. » En tout cas, ce qu'on y apprend est l'inverse de ce que doit être un article de journal.

De Jean Prouvost, vous dites, avec votre sens de la formule : « C'était un crocodile qui avait avalé une midinette. »

Je ne suis pas l'auteur de cette formule. C'est exactement cela qui fit le succès de ses journaux. Je crois profondément qu'on ne fait bien que les journaux que l'on a envie de lire. Il aimait le romanesque, les histoires qui le faisaient rêver, les faits divers. Il recrutait les meilleurs journalistes et les payait très bien. Surtout à *Match.* À mes débuts, à *Paris-Soir,* nous avions eu un contact rugueux. J'étais un moucheron dans son univers. Il m'avait identifiée parce que, après la publication de l'un de mes contes, le directeur des ventes lui avait dit : « Si on avait tous les jours des contes comme ça, le journal se porterait mieux. » Il a demandé mon nom, qu'il a oublié dans la minute, alors il m'appelait « la petite brune », devenu ensuite « la petite brune qui a mauvais caractère », à cause d'un dîner où il avait convié cinq ou six journalistes et j'étais du lot. Ces dîners étaient généralement joyeux. Ce soir-là, Prouvost a piqué sa fourchette dans je ne sais plus quelle quiche, en a sorti une bouchée et me l'a tendue en disant : « Goûtez, c'est délicieux... » J'ai dit : « Non, monsieur. » La règle voulait que tous « ses » journalistes, du plus modeste au plus important, l'appellent « Patron ». Ce que je refusais catégoriquement. Allez savoir pourquoi cela l'amusait. C'était un grand homme de presse, assez génial.

Comment, vous, remarquée par Jean Prouvost, ne vous a-t-il pas engagée à Paris Match *?*

Vingt ans plus tard, il me l'a demandé. Il avait furieusement envie de m'avoir chez lui. Il m'offrait un pont d'or. J'ai refusé. Et je l'ai regretté. La télévision l'a tué. Il a compris très vite que la presse imprimée, celle qu'il produisait et que l'on désigne en Amérique par le terme « picture magazine », était menacée. On a vu périr des magazines aussi prestigieux que *Life* et *Look*. Quand Hervé Mille l'a littéralement forcé à créer *Télé 7 jours,* un journal de programmes, il était écœuré. Et plus encore en constatant que ce titre-là était devenu la poule aux œufs d'or de son groupe.

18

La presse écrite n'est pas morte avec Jean Prouvost. Mais une certaine presse s'est éteinte là... Pas
uniquement à cause de la télévision ou de l'Internet.
Un journal, un bon journal, quel que soit son
contenu, c'est une somme d'énergies tendues,
aimantées vers un objectif qu'incarne plus ou moins
celui qui le dirige. Un bon journal, c'est une passion. Ce fut une passion pour Jean Prouvost, pour
Pierre Lazareff, pour Hubert Beuve-Méry, le fonda-
teur du *Monde*. Chacun dans son genre.

*À l'époque où Hubert Beuve-Méry en était l'austère
patron, circulait une phrase, prononcée par Mme Beuve-
Méry, certainement apocryphe : « Mes enfants n'ont pas eu
de père. Je n'ai pas eu de mari. Mais* Le Monde *a eu un
directeur. »*

Cette phrase fut probablement inventée, de
toutes pièces, par l'un des journalistes de Beuve.
Cependant, elle illustre ce qu'incarne ce métier qui,
plus qu'un métier, est une façon de vivre. Que se
passe-t-il aujourd'hui ? Il ne reste pratiquement plus
de journaux indépendants. La plupart sont la pro-
priété de grands groupes financiers. D'un jour à
l'autre, ceux-ci peuvent désirer s'en débarrasser
parce qu'ils modifient leur « stratégie de groupe »,
selon la formule d'usage. Ce n'est pas méchant, un
groupe financier. On peut même s'y sentir au
chaud. Pour l'heure, M. Lagardère, M. Pinault,
M. Messier laissent une paix royale à leurs journa-

listes. Le problème est ailleurs. Personne n'a envie de se défoncer pour un groupe financier. On n'est pas fier d'écrire pour un groupe financier, ni honteux d'ailleurs... Simplement, c'est un autre métier où même s'il reste quelques feux sacrés, la flamme du journalisme faiblit, étouffée par celle de l'Audimat ou de l'OJD (Office de justification de la diffusion).

Les patrons de rédaction n'ont plus que ce souci, vendre, vendre, vendre, pour récolter le maximum de publicité. Il est bon qu'un responsable se préoccupe de ça, mais pas que cela prime sur tout le reste. Or, quand on ne peut pas faire de bénéfices, on sait comment se termine l'aventure : « Out ». Les directeurs de rédaction vivent avec cette épée de Damoclès au-dessus de leur tête : l'obligation de résultat. Ils sont, par force, avant tout des directeurs de vente. Ils n'ont plus le loisir de se demander : « Pourquoi je fais ce journal ? À quoi sert-il ? Pour dire quoi ? Qui parle à qui ? » Questions capitales qui mobilisent les énergies. Voilà ce qui m'inquiète pour l'avenir de la presse imprimée.

J'ajoute qu'autrefois un journaliste n'aurait pas eu le droit de faire cinq choses à la fois. Ils font de la radio, de la télévision, ils écrivent dans la presse régionale, ils publient des livres, ils enseignent quelque part. Quand il reste du temps, ils passent au journal. Je ne leur reproche rien. De quel droit ? Ils peuvent me rétorquer que cette diversification sert à la promotion du titre de leur journal. Ce qui n'est pas le contraire de la vérité, lorsque l'on annonce Untel de tel quotidien ou de tel hebdomadaire. Et puis, pour la plupart, ils sont médiocrement payés. Mais ce n'est pas ainsi que l'on met un tigre dans le moteur d'un journal. Peut-être est-il déjà trop tard pour parler de l'imprimé. Peut-être sommes-nous à la fin d'un cycle qui s'est ouvert au XV⁰ siècle et s'achèvera au XXI⁰, emportant avec lui ce qui a été notre civilisation, qui n'intéressera plus personne, comme il en va de toutes les civilisations mortes. On ne va pas sangloter. C'est intéressant de regarder une civilisation s'écrouler.

Vous auriez été l'ultime privilégiée de l'âge d'or de la presse écrite ? Pourtant, les journaux en ligne, y compris aux États-Unis, n'affichent pas des résultats flambants et le Net n'a pas réussi à détrôner l'imprimé. Certains ont renoncé à se faire diffuser par l'Internet en raison de leur médiocre bilan et des coûts qu'il nécessite et les plus puissants s'associent : c'est le cas du New York Times *et du* Financial Times *qui, en août 2001, ont signé un accord de partenariat sur leurs éditions en ligne.*

J'espère être exagérément pessimiste. Mais je vois bien autour de moi la place qu'occupe la lecture chez les adolescents. Au bout de dix lignes, terminé. Or la lecture, si on ne l'aime pas d'emblée, c'est sans espoir. Trop d'efforts de concentration. Les mots filent du cerveau comme d'un sablier.

2

DIRIGER UNE RÉDACTION

« Pour moi, commander a toujours consisté à manifester une supériorité fraternelle. S'il n'y a pas de supériorité, il n'y a pas de commandement. Les conservateurs de musée doivent savoir que je connais la peinture mieux qu'eux, mais nous l'aimons autant. »

André Malraux.

FRANÇOISE GIROUD. La phrase de Malraux est juste, mais je n'aime pas la connotation militaire qu'implique le mot « commandement ». On ne commande pas des journalistes. On les anime. On leur demande de faire un certain travail, on parle avec eux, on s'assure qu'ils savent bien ce qu'on attend d'eux.

Plus tard, une fois qu'ils ont remis leur article, on

peut avoir des observations sur le fond ou la forme. C'est là qu'intervient le « Je connais la peinture mieux qu'eux » de Malraux. Pour que vos remarques soient acceptées, votre compétence – sinon votre supériorité – et votre expérience doivent être reconnues et indiscutables.

MARTINE DE RABAUDY. *« Je n'ai pas un tempérament de second », dites-vous. Quand en avez-vous pris conscience ?*

Je ne sais pas. D'ailleurs, c'est faux, puisque je me suis très bien accommodée d'être la seconde d'Hélène Lazareff à *Elle* et de partager le pouvoir à *L'Express* avec le numéro un, qui était Jean-Jacques.

Pour des raisons différentes, l'un et l'autre, à un moment, ont remis le pouvoir entre vos mains et vous avez prouvé que, seule, vous saviez barrer le bateau.

Je ne sais plus qui a dit : « Quand on doit, on peut. » Ce fut le cas lorsque Hélène Lazareff est tombée gravement malade et a dû s'absenter plusieurs mois. Pierre Lazareff cherchait parmi les rédacteurs en chef de *France-Soir* qui pourrait assurer l'intérim. Je me suis élevée contre l'idée saugrenue de confier un magazine féminin à un homme. Il en est convenu et, soulagé, m'a dit : « Eh bien, mon chéri, allez-y ! »

La seconde fois, à *L'Express,* en pleine guerre d'Algérie, le gouvernement y a expédié Jean-Jacques pour se débarrasser de *L'Express*. Le ministre de la Défense nationale, Maurice Bourgès-Maunoury, espérait que, privé de sa tête, le journal ferait long feu. Mendès France, ulcéré par la bassesse de la manœuvre, a voulu intervenir. Jean-Jacques s'y est opposé. Il est resté absent neuf mois. *L'Express* a survécu et les ventes ont même progressé. En revenant, Jean-Jacques a publié *Lieutenant en Algérie,* qui n'était pas un hymne à la gloire de l'armée française et de ses dirigeants. Par deux fois donc j'ai dû faire front.

Dans les deux circonstances, les journalistes qui composaient la rédaction n'étaient pas manchots. Une équipe, ça compte.

« L'un des plus beaux compliments que l'on peut faire à un animateur de journal, c'est de lui reconnaître du "réflexe". » Approuvez-vous ce commentaire de Jean Daniel ?

Jean Daniel a tout à fait raison. Le « réflexe » est un élément capital. Même dans un hebdomadaire ; *a fortiori* dans un quotidien. Cela va vite, un journal. Quand l'information tombe, il faut réagir, décider comment on la traite, savoir l'importance qu'on lui donne ou ne lui donne pas. Changer la « une », si besoin. Dans un hebdomadaire, pouvoir se projeter, ne pas se tromper sur la résistance au temps de l'événement. Sera-t-il dépassé, modifié le jour de la parution en kiosque ? Dans certains cas, douter, vérifier, déjouer la manipulation. J'ai toujours été extrêmement méfiante, plus prudente que Jean-Jacques, avant de publier une information, si elle n'était pas contrôlée par nos journalistes, qui étaient très fiables. Lui était parfois emporté par sa fougue. C'était aussi un des éléments de son talent et de son pouvoir d'entraînement.

Raymond Aron, éditorialiste à L'Express, *reconnaissait ne pas comprendre cette précipitation à publier une information : « Si elle s'avère mineure, pourquoi en parler ? Elle sera oubliée en quelques heures. Si, au contraire, il s'agit d'un fait grave, il sera toujours temps de le commenter, de l'analyser. En cela, je ne me sens pas journaliste. » Qu'en pensez-vous ?*

Lui-même fournit la réponse. Il n'était pas un journaliste. Raymond Aron était un professeur de sociologie au Collège de France et un philosophe. Une autorité intellectuelle respectée, souvent redoutée. Il faut reconnaître qu'il s'est rarement trompé dans ses interprétations. Il possédait, comme le disait François Mauriac, ce virtuose des mots, « une clarté glacée ». Le journaliste, lui, est plutôt pourvu d'un caractère fiévreux. Le rôle d'un directeur de rédaction est de conjuguer et d'harmoniser ces différents tempéraments.

Pour revenir à ce que disait Jean Daniel, j'ajouterais au « réflexe » l'« intuition ». Sentir que les choses, les mentalités sont en train d'évoluer, ce que l'on nomme « fait de société » ou « air du temps ».

Je vous citerai un exemple lointain, mais précis. Un jour, je me trouvais dans le bureau de Pierre Lazareff, dans les années 1950. Je lui suggère : « Pierre, il faut créer une rubrique automobile dans *France-Soir*. » Il éclate de rire et me répond : « C'est bien là une idée de jeune bourgeoise du seizième arrondissement. » Je l'attire jusqu'à la fenêtre qui surplombait la rue Réaumur et lui désigne les véhicules garés sur le terre-plein : « Vous voyez, Pierre, toutes ces voitures ? Elles appartiennent toutes aux ouvriers de votre imprimerie. » Huit jours après, la rubrique était créée dans *France-Soir*.

Pourtant Lazareff était, sans conteste, le journaliste le plus instinctif, le plus intéressé par les autres.

Oui, mais malgré cela, un phénomène puissant lui avait échappé. Avec ses Bentley, il était hors du coup. Il a été l'un des premiers à posséder le téléphone dans sa voiture. Et, comme un gosse avec un jouet neuf, il n'arrêtait pas de s'en servir. Il habitait à Louveciennes et à l'aller comme au retour son chauffeur devait passer sous le tunnel de Saint-Cloud, pendant ce court moment, les communications étaient coupées et cela le rendait fou. Un jour, Max Corre, le directeur de *France Dimanche* – rien à voir avec ce que deviendra par la suite ce journal –, appelle de sa voiture Pierre dans la sienne et lui dit : « Pierre, moi aussi, j'ai un téléphone. » Agacé, Pierre, avec sa vivacité d'esprit, lui répond : « Une minute, je suis sur l'autre ligne. » C'était ça, Pierre, ce besoin d'être pionnier en tout.

Quand on est à la tête d'un journal, il faut se surveiller, rester vigilant, ne pas se couper des gens. C'est difficile. Tout y incite. On a voiture et chauffeur. On est invité dans les meilleurs endroits, toujours aux meilleures places, toujours au milieu des mêmes. On finit par ne plus se voir qu'entre soi. Ce que Raymond Barre, avec son sens aigu des réalités, appelait « les effets trompeurs du microcosme ». Il parlait de ce petit milieu politico-médiatique concentré à Paris et qui ne regarde pas plus loin que lui.

Le duc de Choiseul un jour avait lancé : « Les montres de nos politiques retardent toutes de six mois. » Pour continuer dans l'horlogerie, la montre d'un directeur de rédaction se doit de marquer quelques heures d'avance.

L'autre danger qui vous guette, c'est lorsque le journal se développe trop. J'ai toujours aimé les petites structures. À un moment, *L'Express* comptait quatre cents employés. Au départ, nous étions une trentaine. À la fin, je croisais dans l'ascenseur des personnes dont j'ignorais le nom. Je sentais que quelque chose n'allait plus, ni pour moi, ni pour elles. On doit pouvoir poser un nom sur chaque visage, et sur chaque nom une fonction. Sortie de là, cela me fait peur et ne m'intéresse plus. Je n'ai pas le goût du gigantisme. Je ne l'ai jamais eu. C'est pourquoi ces sociétés industrielles qui possèdent trois cent mille employés ou plus m'affolent.

Lorsque vous dirigiez une rédaction, on vous lisait chaque semaine. Peut-on être un grand directeur sans jamais prendre la plume ?

Bien entendu. Il y a de grands directeurs qui sont uniquement des animateurs, des catalyseurs. Ce fut le cas de Roger Thérond à *Match,* pendant presque cinquante ans. Avant lui, celui d'Hervé Mille. Pierre Lazareff écrivait rarement et médiocrement. Aujourd'hui, Edwy Plenel s'interdit d'écrire dans *Le Monde* depuis qu'il a pris la tête de la rédaction, considérant que sa tâche, qui est lourde dans un rythme de quotidien, est ailleurs. Un grand directeur peut marquer son empreinte sans écrire. Si on parvient à faire les deux, tant mieux, mais ce n'est pas indispensable. L'écriture est un avantage, qui permet, lorsque l'on quitte un poste hiérarchique, soit pour une question d'âge soit toute autre raison, d'avoir la chance de poursuivre son métier. J'ai ce privilège et ce bonheur : remettre ma copie chaque semaine.

Dans un journal, quel que soit l'ordre hiérarchique, la coutume veut que l'on emploie le tutoiement. En usiez-vous, et avec qui ?

C'est en effet une habitude, mais je ne l'ai jamais adoptée. J'ai horreur de la familiarité et ne tutoie quasiment personne. En dehors de mes enfants et de mes petits-enfants. Jean-Jacques et moi ne nous tutoyions pas !

29

Cette préférence du « vous » rappelle un dialogue dans La Grande Illusion *de Jean Renoir, film dont vous étiez la scripte et au dialogue duquel vous avez participé pour quelques scènes. À un moment, Jean Gabin (le lieutenant Maréchal) s'adresse ainsi à Pierre Fresnay (le capitaine de Boëldieu) : « On se connaît depuis huit mois et on se dit toujours "vous".» Fresnay lui réplique : «Je vouvoie ma mère et je vouvoie ma femme.» Vous pourriez signer.*

Je n'allais pas jusqu'à vouvoyer ma mère ! Ce qui exprime un comportement de classe, comme cela apparaît dans *La Grande Illusion*. Simplement, je n'aime pas tutoyer. Certains de mes proches amis en sont quelquefois heurtés.

BHL, dans Les Hommes et les Femmes, *livre issu de vos conversations sur ce délicat sujet, avance : « Vous faites partie des rares femmes qui ont su rendre compatibles des positions de pouvoir et de séduction.» Vous répondez : « Rétrospectivement, cette combinaison n'était pas si difficile.» Quelles autres femmes ont su concilier ces deux éléments ?*

Je me souviens de cette réflexion de BHL. En France, je dirai qu'une femme comme Edmonde Charles-Roux a réussi cet alliage... Et, peut-être, Michèle Cotta.

« Ce que j'ai tenté de transmettre, c'est une certaine façon de se conduire comme femme dans un milieu d'hommes.» Du cinéma et du journalisme, lequel de ces

*deux univers, à forte densité masculine, s'est révélé le plus
réceptif à cette « certaine façon » ?*

Les deux, à part égale, étaient hostiles aux
femmes, fermés même. Il n'y avait pas de femme
dans les équipes techniques des films alors que
maintenant, elles sont là, et au plus haut niveau. À
mon époque, il n'y avait que des monteuses, cloî-
trées dans leur cellule de montage et sur le plateau
la script-girl, seule au milieu d'une quarantaine
d'hommes, elle ne faisait d'ombre à personne. Un
élément non négligeable, les actrices, de la vedette
au petit rôle, parfumaient tout cela de féminité, de
caprices, d'idylles folles. C'est alors qu'il fallait faire
preuve de diplomatie, y compris la scripte, pour calmer le jeu. Dans ces moments d'affolement, la misogynie ne trouvait plus sa place.

La presse, c'est une tout autre chose. En 1946, il
n'existait aucune femme à la rédaction du *Figaro,* un
unique exemplaire à la rubrique spectacle dans celle
du *Monde.* À *France-Soir,* on comptait quelques reporters mais aucune chef de service. On leur consentait
une plume mais jamais une fonction d'autorité.

Les femmes n'avaient leur droit d'entrée que
dans les magazines féminins. On ne peut parler de
misogynie. Ça ne porte pas de nom. Un mur était
érigé. Une sorte de cordon sanitaire.

Je ne sais pas si vous imaginez le scandale que
Jean-Jacques a provoqué, dans le milieu de la presse,
en me confiant la rédaction de *L'Express.* Ses enne-

mis, il en avait déjà, se consolèrent en ricanant que, venue de la presse féminine, je ne devais pas être bien dangereuse. Et d'ailleurs, prévoyaient-ils, dans tous les cas, ce journal se casserait la gueule dans les six mois.

La seule opération de séduction que je devais réussir, c'était auprès de la petite équipe rédactionnelle de *L'Express* et de ses amis politiques, Pierre Mendès France en tête et Simon Nora, qui, avec sa bande d'économistes des Comptes de la nation, avait la haute main sur la rubrique économique. *L'Express* aura été le premier hebdomadaire à traiter avec sérieux ce sujet. Ces hommes ne me donnèrent aucun mal. Ils furent coopératifs et affectueux. Pendant l'épisode algérien de Jean-Jacques, pas un de « mes hommes », pour parler comme dans la chanson de Barbara, n'a essayé de me déstabiliser. François Mauriac a pris la peine d'écrire à Jean-Jacques : « Ne vous inquiétez pas, tout va bien, notre petite directrice s'en tire à merveille. »

Ce qui me fit le plus plaisir et dont je tire une grande fierté, c'est après le retour de Jean-Jacques, lorsque le patron du *Monde,* Hubert Beuve-Méry, sorte de statue du Commandeur de notre métier, plutôt sévère, m'a dit : « Je ne croyais pas que vous vous en sortiriez. C'est bien, ce que vous avez fait. » Et, croyez-moi, avec Beuve, on ne le faisait pas à la séduction ! Mais il m'aimait bien, peut-être parce que j'avais écrit qu'il était gracieux comme un cactus...

Alors, la phrase de BHL que vous avez relevée est juste et fausse. Elle est fausse en ce sens qu'elle pourrait s'appliquer à un homme. La séduction n'est pas une arme exclusivement féminine. Chez un homme, on l'appelle le charisme.

Se conduire comme une femme dans un milieu d'hommes, c'est un ensemble... Avant tout, ne pas jouer de son physique...

Ne pas jouer non plus au petit mec. Ne rien jouer du tout. Être naturelle.

Diriger des hommes ou des femmes, quelle différence ?

Je n'en vois pas. Il s'agit toujours de stimuler et d'inspirer confiance. Ce que je peux dire, c'est que les femmes dans le travail sont tenaces, toujours prêtes à se décarcasser, à s'accrocher à mort quand elles l'ont décidé. Intellectuellement, dans chacune de mes fonctions, y compris au gouvernement, j'ai eu des collaboratrices qui étaient largement à jeu égal avec les hommes. Je les vois toujours. Toutes ont réussi de belles carrières.

Comment auriez-vous réagi si l'une de vos journalistes du service politique – ce fut le cas d'une journaliste de l'Agence France-Presse, qui suivait le voyage officiel du Premier ministre Lionel Jospin au Brésil – s'était fait comme elle publiquement tancer par lui, jusqu'à fondre en larmes, pour avoir diffusé une information qui le contrariait ?

L'incident auquel vous faites allusion est détestable. C'est très rare et relève surtout d'un manque de sang-froid. Ce n'est jamais arrivé, ni à Michèle Cotta, ni à Catherine Nay, ni à Irène Allier. Moi, j'ai « contrarié » Georges Pompidou. Cela m'a amusée de retrouver une lettre de lui, manuscrite, qui commence ainsi : « À vous, madame, qui déjeuniez il y a peu à côté de moi, etc. etc. » Il s'était ému parce que nous avions écrit qu'il avait appris par Pierre Lazareff et non par de Gaulle qu'il devait céder la place à Maurice Couve de Murville. Cela courait tout Paris, ébruité par Lazareff lui-même. Mais, poursuivait-il : « Je ne veux aucun rectificatif. Je raconterai l'exacte vérité dans un livre. » Jamais il n'a publié ce livre. Intriguée, j'avais appelé Hervé Mille, au courant de tout. Il me confirma qu'effectivement Lazareff croyait avoir informé Pompidou, que Couve en doutait ; mais vrai, faux... ? Plus tard, devenu président de la République, je l'ai vu à plusieurs reprises. Il n'en a jamais reparlé.

Les rapports avec le pouvoir politique sont souvent épineux. Mieux vaut ça que la connivence. Pierre Desgraupes, patron de l'information à Antenne 2, répétait à ses journalistes : « Faites votre boulot. Les plaintes ou les menaces des ministres, c'est le mien. » On a vu comment ça a tourné. Ils l'ont fait sauter. Pompidou, justement. Souvenez-vous de sa fameuse tirade en 1972 : « La télévision, voix de la France »...

Le service politique de L'Express *était largement*

« équipé » de femmes. Une sorte de service « prototype », quand on le comparait à ceux des autres rédactions. Était-ce le fait de votre volonté ?

S'il y a eu cette irruption de jeunes femmes dans le service politique de *L'Express,* et avec quel succès, c'est parce que Jean-Jacques l'a voulu. Et même encouragé, stimulé. Sans ça, il m'aurait été impossible de l'imposer. Mon mérite est donc mince. Il était l'homme le moins macho que j'aie connu. Je crois savoir que cela venait de l'admiration éperdue et de l'amour fou qu'il vouait à sa mère. Dans tous les services du journal, on trouvait des femmes, et des femmes assumant des responsabilités, comme par exemple Danièle Heymann qui dirigeait, avec maestria, le service des spectacles, Christiane Collange à *Madame Express,* Madeleine Chapsal ou Sophie Lannes qui réalisaient de grands entretiens, Michèle Manceaux, excellente plume...

Dans son ouvrage La Blessure, *Jean Daniel affirme à votre propos : « Son féminisme n'est jamais allé jusqu'à réprimer une faiblesse bien féminine : aimer et vouloir être la seule femme dans une société d'hommes »...*

Exceptionnellement, Jean Daniel commet une erreur. Mais je sais pourquoi. Nous faisons tous les deux partie d'un jury, dont j'étais la seule femme. Le prix Mumm, rebaptisé prix Louis-Hachette, qui couronne les auteurs de ce que nous jugeons être les meilleurs articles parus au cours d'une année. Nous avons décidé de faire rentrer une seconde femme. Jean a suggéré un nom. J'ai dit : « Ah, non ! » On en est restés là. D'où sa conclusion. Quelques semaines plus tard, j'ai contribué à ce que Christine Ockrent nous rejoigne. Sa remarque était donc caduque.

Pourtant, ce petit soupçon traverse également l'esprit de votre ami BHL quand il vous demande : « Aimez-vous les femmes ? Goûtez-vous autant que vous le croyiez leur compagnie ? »

J'aime les femmes, ce n'est pas une posture. J'ai grandi parmi des femmes : ma mère et ma sœur aînée. J'ai été longtemps très proche d'Hélène Lazareff dans un journal de femmes. La plupart de mes amis sont des femmes, souvent beaucoup plus jeunes que moi. Je continue de voir régulièrement un bon nombre de celles qui ont travaillé avec moi. Je suis très fidèle en amitié. Pour moi, les femmes incarnent le courage, la tendresse. C'est d'elles que j'attends instinctivement protection. Pas des hommes.

Jacques Duquesne, un temps à L'Express *sous votre direction, a cette boutade : « Françoise Giroud avait ce don d'enseigner, même ce qu'elle ignorait »... Comment l'interprétez-vous ?*

Je trouve que la phrase de Jacques Duquesne est

drôle, mais je ne suis pas sûre de savoir à quoi elle s'applique. Au tout début de *L'Express*, c'était plutôt l'inverse. Je ne connaissais pas grand-chose à l'économie, mais cela me passionnait. Nous demandions des articles à des spécialistes, impubliables car incompréhensibles pour le grand public. Alors, je disais à Simon Nora, l'« économiste maison » : « Expliquez-moi, je comprendrai et ensuite j'écrirai. » C'était la raison pour laquelle les articles n'étaient jamais signés. Parce que je rédigeais la totalité du journal. C'est ce que je préfère, dans ce métier : comprendre et faire comprendre. Être une courroie de transmission.

La vulgarisation, mot auquel on accole maintenant un sens péjoratif, est à mes yeux la racine du métier. Par exemple, au moment de Mai 68, je suis allée assister à un séminaire de Jacques Lacan, qui était un ami. Je voulais l'entendre expliquer le mouvement étudiant. Il pratiquait un art de la sémantique très original. Pour une fois, moi qui ne prenais jamais de notes, parce que je faisais confiance à ma mémoire, qui était phénoménale – ce n'est plus le cas –, je griffonnai sur un carnet l'essentiel de sa conférence. J'ai écrit cinq feuillets qui voulaient traduire sa pensée avec le maximum de limpidité, ce qui n'était pas une mince affaire. Et je lui ai demandé de passer au journal relire le papier. Il est venu, il a lu, et il m'a dit : « Vous voyez bien que je suis simple. » Ce n'est pas superbe ?

Jean-François Revel, un moment à la tête du journal,

après votre départ, résume d'une fâcheuse façon ce qu'est pour lui une rédaction : « C'est, dit-il, une anarchie haineuse. »

Pendant mes vingt années à *L'Express,* il y eut des crises plus ou moins importantes, des départs. Jean Daniel, qui avait toutes les capacités pour devenir le patron d'un journal, nous a quittés et avec lui quelques-uns. Jean avait été un magnifique et courageux grand reporter, risquant sa vie au cours de ses innombrables reportages en Algérie. À Bizerte, il fut très grièvement blessé. Claude Perdriel, un industriel, lui aussi toqué de journaux, créa *Le Nouvel Observateur* et voulut lui en confier la rédaction. La suite a prouvé que son idée n'était pas mauvaise. Jean est toujours à l'*Observateur* et depuis quinze ans que j'y signe la chronique de télévision, il est mon directeur. Pierre Viansson-Ponté, estimant que Philippe Grumbach lui faisait de l'ombre, a rejoint *Les Échos* puis *Le Monde.*

La crise majeure éclata en 1971. Sept ou huit journalistes ont quitté le journal du jour au lendemain. Que s'est-il donc passé ? Jean-Jacques, député de Nancy et président du parti radical, ne mettait pratiquement plus les pieds au journal mais exigeait que celui-ci soutienne son action politique. Rien ne lui semblait plus naturel avec son côté « Tous pour moi », qui était tuant. Claude Imbert et ses adjoints ont déclenché la rébellion en disant : « Nous avons été engagés pour faire un magazine d'information, non pour diffuser une feuille politique. » Attitude parfaitement recevable mais inacceptable pour Jean-Jacques. Quelque temps plus tard, Claude Imbert créera *Le Point* pour Hachette.

Les trois semaines qui ont suivi ce départ groupé ont été les plus éprouvantes de ma vie profession-nelle. Tout l'état-major évacué, il fallait sortir le journal. Jean-Jacques me téléphonait de Nancy : « Engagez un rédacteur en chef, ne vous tuez pas ! » Mais trouver la bonne personne dans une situation pareille n'était pas simple. Enfin, je lui ai proposé quelqu'un qui avait été autrefois au journal et pré-sentait à mes yeux un avantage majeur : Jean-Jacques était convaincu de son entier dévouement. Pour faire ce qu'il voulait, c'était ce qu'il fallait. Il l'a eu. Je n'avais pas d'atomes crochus avec ce nouveau rédacteur en chef. C'est le moment où, à mon tour, j'ai eu envie de partir et l'imprévisible s'est pré-senté : élu président de la République, Valéry Giscard d'Estaing, sachant parfaitement que je n'avais pas voté pour lui, mais pour Mitterrand, me proposa d'entrer au gouvernement comme secré-taire d'État à la Condition féminine. Un poste minis-tériel inédit... J'ai accepté parce qu'il m'a convaincue de sa réelle volonté de faire évoluer la place des femmes dans la société. J'ai eu confiance. Je ne l'ai pas regretté. Nous avons fait du bon travail. Et j'ai bien aimé cette période de ma vie.

Mais revenons à *L'Express*. C'était un vivier magni-fique. J'ai toujours dit que j'avais l'impression de diriger une équipe de cracks. De Claude Imbert à

Pierre Viansson-Ponté formés à cette formidable école qu'était l'Agence France-Presse ; de Georges Suffert à Jean-Jacques Faust, de Jacques Duquesne à Roger Priouret ; de Jean-François Kahn à Jacques Derogy, tous, comme on dit, étaient des pointures. Je ne peux pas vous réciter la totalité de l'« ours » (le générique d'une rédaction). Mais c'était aussi un endroit tumultueux. D'autant que Jean-Jacques, on l'a vu, n'était pas le dernier à attiser les braises. Durant tout le temps où j'y suis restée il n'y a jamais eu de licenciement, sauf peut-être un ou deux. Jean-Jacques avait élaboré un contrat d'entreprise qui était de très loin le plus favorable de toute la presse française.

La définition de Revel, « une rédaction est une anarchie haineuse », je crains qu'elle ne soit juste. Mais il parle d'une période épouvantable dans la vie de *L'Express,* que j'ai observée de l'extérieur même si j'ai fait partie des « dégâts collatéraux ». Pendant que j'avais le dos tourné – j'étais rue de Valois, secré-taire d'État à la Culture, dans le gouvernement de Raymond Barre – Jean-Jacques s'ennuyait ferme et bouillonnait d'autres projets, comme de créer un centre informatique mondial, idée trop audacieuse pour la France. Il a vendu *L'Express,* sans m'en par-ler, à Jimmy Goldsmith qui voulait le transformer en journal ultra-libéral, frisant l'extrême droite et intégrant Raymond Aron qui, lui, comptait régner.

On a dit que Raymond Aron a empêché votre retour lorsque vous avez cessé d'être ministre ?

40

C'est plus compliqué. Il est certain que Aron ne voyait pas mon retour avec enthousiasme. Il aurait dit : « Si elle écrit à nouveau dans le journal, c'est elle qu'on lira, pas moi. » Dans ses *Mémoires*, il relate ainsi les faits : « La question du retour de Françoise Giroud fut posée par le comité éditorial au début de 1978. Jimmy Goldsmith y était opposé. Jean-François Revel appartenait à l'ancienne équipe, il avait travaillé avec elle pendant des années, il était lié à elle par une authentique amitié et ne pouvait pas se déclarer hostile au retour de son ancienne directrice... *L'Express* doit son existence à Françoise Giroud autant ou presque qu'à JJSS ; lui refuser une tribune nous paraissait à tous injuste, cruel pour ainsi dire. »

Revel, dans son livre de souvenirs, Le Voleur dans la maison vide, *donne lui aussi sa version des faits :* « Malgré mon insistance pour que nous redonnions à Françoise Giroud une tribune, car selon moi, elle nous apporterait à nouveau une touche, un ton qui n'appartenait qu'à elle, Jimmy refusa. Aron publia même dans L'Express *un éditorial, ce qui était du pire goût, pour lui reprocher de s'être ralliée, venant de la gauche, à l'État giscardien, en échange d'un portefeuille ! Raymond Aron, quoique titulaire au Collège de France de la chaire de "sociologie de civilisation moderne", n'excellait pas autant dans la civilité que dans la civilisation... »*

Je ne veux rien ajouter à ce qu'a écrit Jean-François Revel. Ce qui est certain, c'est qu'il a vécu tout cela difficilement et a démissionné par solidarité avec Olivier Todd, le rédacteur en chef, renvoyé par Goldsmith avec sa brutalité coutumière. D'où la justification de l'expression « anarchie haineuse ».

J'ai tout pardonné à Jean-Jacques. Je ne lui ai jamais pardonné, il le sait, d'avoir abandonné « notre journal » aux mains de ce personnage. C'est la douleur vive de ma vie de journaliste. Non que je n'aie pu reprendre mon poste, après tout je n'avais qu'à ne pas m'absenter. Mais de voir vers quelle ligne éditoriale penchait *L'Express*. Du gâchis ! D'ailleurs, même si les choses s'étaient passées courtoisement, comment aurais-je pu signer un mot dans un journal qui défendait les idées de M. Goldsmith ? Pendant vingt ans, je n'ai plus ouvert *L'Express*. Il a disparu de ma vie. Quelqu'un m'a demandé ce que j'éprouvais, j'ai répondu : « J'ai l'impression d'avoir un fils en prison ! » Il y eut, par la suite, bien d'autres soubresauts, c'est pourquoi je dis toujours que ce journal est insubmersible. Depuis quelques années maintenant, il semble avoir retrouvé la sérénité et gardé un lectorat substantiel. Souhaitons-lui de continuer... Aujourd'hui, je le reçois, je le regarde, comme les autres journaux. Je n'ai plus d'attache affective. Je lis volontiers un bon papier.

Certains vous taxent de dureté, parfois de méchanceté. Avez-vous eu conscience, lorsque vous exerciez le pouvoir, non seulement d'intimider, mais de faire peur ?

Méchante, moi ? Je n'avais encore jamais entendu ça. C'est une blague ou quoi ? Dure ? Je l'accepte dans le sens d'« exigence ». J'ai été très exigeante, oui, à tous égards, je le reconnais volontiers. Faire peur ? Non, je n'ai jamais fait peur à personne, c'est bouffon. J'imagine que ce genre de jugement émane de personnes qui n'ont jamais travaillé près de moi. Intimider, c'est une autre affaire. C'est une réaction que j'inspire, bizarrement, depuis ma jeunesse. Allez savoir pourquoi, j'ai toujours intimidé ! Je crois que c'est parce que je suis calme, très calme. Je n'élève jamais la voix, je ne supporte pas les rapports conflictuels. Je n'ai pas souvenir d'un seul éclat au cours de ma carrière. Dans ma vie privée, à seize ans, un soir où j'étais folle de jalousie, j'ai saisi un vase de Chine et je l'ai brisé. Sans produire aucun effet. J'ai été si humiliée de cet emportement que je me suis juré de ne jamais plus y céder. Jamais plus je n'ai recommencé. On dit aussi que je suis froide. Pas du tout. Je suis contrôlée. Par éducation. C'est très différent. Mais mieux vaut ne pas chercher à savoir ce que les gens disent de vous, cela vous retire des forces. « Le grand triomphe de l'adversaire, selon Paul Valéry, c'est de vous faire croire ce qu'il dit de vous. »

Dans le portrait que vous avez publié d'Elsa Schiaparelli, la célèbre créatrice de haute couture italienne, vous dites qu'elle vous confie : « Les femmes qui réussissent font peur. »

Elles font peur aux hommes. Du moins à son époque. Chanel pensait la même chose. C'est la rivalité que redoutent les hommes et plus encore la supériorité. C'est normal. Quand ils voient des femmes grimper les échelons, cela peut les rendre nerveux. Ils en ont peur comme de « la mauvaise mère ».

De Françoise Giroud, on retient aussi ce fameux sourire... Jean Daniel vous décrit ainsi : « Françoise, c'est une volonté armée d'un sourire »...

Je souris, oui. Et, j'ai souvent trouvé que je souriais trop. En particulier, quand j'ai commencé à me voir à la télévision. Je me disais : « Qu'est-ce qui te prend de sourire à cet imbécile ? » Ça m'agaçait, mais que faire ? Le sourire n'est pas sous contrôle.

Étiez-vous une directrice impatiente ? D'une impatience faite de mille patiences, comme disait de lui-même François Mitterrand.

Si vous cherchez un de mes défauts, vous avez gagné. Je suis impatiente parce que je suis rapide. Alors les autres m'impatientent. C'est un vilain travers quand on dirige des journalistes. Il ne faut surtout pas le laisser voir, sinon vous bloquez les gens et n'obtenez plus rien de bon d'eux. Alors, comme le dit Mitterrand, j'essayais que cette impatience ne soit pas perceptible, non pas faite de mille patiences, mais au moins de cent...

Comment expliquez-vous qu'aucune autre femme que vous n'ait pu accéder à la direction d'un grand magazine généraliste ? Un blanc de bientôt trente ans. Degré zéro de la parité. Même dans le milieu musical, réputé l'un des plus misogynes, on dénombre quelques (rares) femmes chefs d'orchestre.

Le problème est plus simple qu'il n'y paraît et ne relève pas de la misogynie ordinaire. Pour fonder ou acheter un journal, les investissements sont lourds, les risques énormes. On perd très vite des sommes impressionnantes. Quand une femme a les moyens de réunir les capitaux nécessaires, rien ne s'oppose à ce qu'elle possède et dirige un journal. Ça a été le cas en France de Jacqueline Beytout avec *Les Échos*. Succès. Revente fructueuse aux Anglais. Elle a parfaitement réussi et on ne voit pas qui aurait pu l'en empêcher. Mais il est très rare qu'une femme dispose à la fois d'une fortune, des capacités et de l'expérience nécessaires. C'est rare partout. Aux États-Unis, il y avait la célèbre Kay Graham, morte à quatre-vingt-quatre ans, en juillet 2001, propriétaire du célèbre *Washington Post*. Elle en avait pris les rênes après le suicide de son mari en 1963. C'est ce modeste journal, créé par son père et dont elle avait hérité, qui a destitué le Président Nixon avec l'affaire du Watergate. Kay a été incroyablement courageuse dans cette affaire. Et hardie. En 1997, elle écrivait : « L'excellence journalistique et les profits peuvent aller de pair. » Elle l'a prouvé.

C'était une femme remarquable. On la cite toujours parce qu'il n'en existe pas deux comme elle. Pour que des investisseurs misent sur une femme pour diriger un grand journal qui ne soit pas féminin, il faudrait un miracle. À *L'Express*, Christine Ockrent qui d'ailleurs avait été choisie par une femme, Françoise Sampermans, fut éliminée à peine installée au premier changement d'actionnariat. Quant à moi, ce miracle s'est produit, parce que les Servan-Schreiber ont créé *L'Express* pour leur fils, avec des capitaux très modestes, et que ledit fils m'a imposée. Moralité, tant que les femmes ne mettront pas la main sur le pouvoir économique, comme elles l'ont mise sur la magistrature, la médecine ou l'enseignement, bien des domaines continueront de leur échapper, dont celui des grands moyens de communication. On ne peut pas dire qu'il y ait régression. Il y a stagnation, parce que l'argent ne s'engage pas derrière une femme dans le secteur de la communication. Mais ça peut bouger.

À propos de misogynie, me revient une anecdote toute personnelle. Ce devait être vers 1966, 1967... Il existait une émission très populaire conduite par Michel Bassi : *À armes égales*. Le principe : deux adversaires, même temps de parole. Cette émission opposait toujours en général deux hommes, comme s'il était impossible à l'époque de trouver des femmes capables de débattre avec, par exemple, le garde des Sceaux ou le ministre de l'Éducation nationale. Rétrospectivement, c'est comique...

Donc, j'ai eu l'honneur d'être la première femme et la seule que l'on accueillit à cette émission. Adossée à *L'Express,* je ne craignais rien. Le lendemain, ne pouvant m'attaquer sur l'émission qui avait été de bonne tenue, on me régla mon compte de manière insidieuse dans la rubrique littéraire du *Monde.* L'article du critique incendiait mon livre *Si je mens...,* tout juste paru. J'eus un coup de sang. La condescendance, le soupir lassé de cet amateur de Heidegger peut-être, à moins que ce ne soit de Husserl, obligé d'absorber ce flot de frivolités... Mais que peut-on donc attendre d'autre d'une femme, n'est-ce pas, espèce futile à qui on devrait interdire l'accès aux interventions publiques ? J'aimais et je respectais, comme je vous l'ai dit, Hubert Beuve-Méry. C'est donc à lui que je fis porter un mot élaboré et navré. Beuve ne lisait-il plus son propre journal ? Je voulais savoir s'il couvrait cette prose vulgaire dans son esprit comme dans sa forme. Sa riposte fut cinglante pour ledit journaliste. Le lendemain, il publiait *in extenso* ma lettre, sans commentaires.

Cela n'a pas amélioré mes relations avec le service littéraire du *Monde* où l'on éructait. Mais en trente ans, ça s'est tassé...

J'ajoute que j'ai rarement été la cible de la misogynie. Juste assez pour ne pouvoir jamais oublier qu'elle existe.

Vous seriez donc « l'exception qui confirme la règle » d'une femme à qui l'on a permis d'accéder au pouvoir. De cette traversée en solitaire, retirez-vous une petite vanité ?

La vanité n'est pas mon principal défaut. J'aurais préféré que cette exception soit contagieuse ! Mais, je vous le répète, pour moi, même si je ne sous-estime pas mes capacités, l'exception c'est Jean-Jacques.

3

HÉLÈNE LAZAREFF

« Il vaut mieux suivre la mode, même si elle est laide. S'en éloigner, c'est devenir aussitôt un personnage comique, ce qui est terrifiant. Personne n'est assez fort pour être plus fort que la mode. »

Paul Morand, de l'Académie française,
dans *L'Allure Chanel*

FRANÇOISE GIROUD. J'aime bien cette phrase parce qu'elle met la mode à sa place : la première. C'est le tyran majeur, le dictateur absolu auquel personne ne peut se vanter d'échapper même lorsqu'il fait semblant et c'est un phénomène de tous les temps. Aussi faut-il le prendre au sérieux. C'est ce qu'a fait Hélène Lazareff.

MARTINE DE RABAUDY. *D'où venait Hélène Lazareff ?*

Hélène Gordon Lazareff était une jeune femme russe très brillante, pas vraiment jolie mais beaucoup mieux que cela, couverte de diplômes, qui sut choisir ses amants parmi des hommes de haute culture. Elle nourrissait une ambition solide quand elle rencontra Pierre Lazareff qu'elle « tomba » immédiatement. Patron (après Jean Prouvost) de *Paris-Soir*, il divorça en 1939 pour l'épouser. Guerre, occupation, fuite aux États-Unis où ils passeront cinq ans, dans des conditions de vie très difficiles, là-bas Pierre est incapable de dire un mot d'anglais. Pendant ces années noires, Hélène travaille dans de bons journaux américains et y apprend beaucoup de choses. Elle saura les mettre à profit quand, rentrée à Paris, elle créera « son » journal, *Elle,* dans le cadre du groupe *France-Soir* que dirige Pierre.

Leur ami Hervé Mille leur avait dit à leur retour en France : « Il y a trois journalistes que vous ne connaissez pas et que vous devez engager : Max Corre, Raymond Cartier et Françoise Giroud. » Les deux premiers ont fait de belles carrières dans la presse. Quant à moi...

Quant à vous, vous vous retrouvez un jour chez Hélène Lazareff ?

Elle m'a invitée à déjeuner chez elle, avenue Kléber, et là, je l'ai déjà raconté, ça a été un coup de foudre réciproque. Hélène était une petite personne passionnée, russe jusqu'au bout des ongles et irrésistible. Elle m'a tout appris. Je l'ai aimée d'amour. Il n'y a jamais eu d'amitié entre nous. Mais des sentiments excessifs réciproques.

C'est curieux ce que vous dites de ce sentiment violent pour Hélène Lazareff. Pierre Desgraupes à qui l'on posait cette question : « Que représentait pour vous Pierre Lazareff ? » avait expliqué, de son ton bourru, à peu près la même chose que vous : « Pierre, je l'aimais comme on aime une femme. »

Ils étaient deux êtres passionnés qui déclenchaient ce sentiment chez les autres. C'était un couple magnétique. Vous ne pouviez leur échapper. Parlez-en avec Philippe Labro, qui longtemps travailla pour Pierre à *France-Soir,* lui aussi vous dira qu'il était comme envoûté... En fait, la nuance se situe là : on travaillait non pas *avec* eux mais *pour* eux. À cette différence que Pierre, malgré ses colères réputées, était l'homme le plus gentil et le plus tendre qui soit, alors qu'Hélène pouvait être injuste, implacable. Mais elle savait se faire pardonner en une minute de charme. D'elle, j'avais dit : « C'est un petit oiseau d'acier. »

Nées toutes les deux un 21 septembre. Lui ressembliez-vous ?

Nos caractères étaient totalement différents. Les thèmes astraux sont des sornettes. Lorsqu'elle voulut imposer une page d'horoscope dans *Elle*, il y eut un vrai conflit entre nous. J'ai dû céder, c'était « bon pour la vente ».

Hélène Lazareff disait : « Elle revendique le sérieux dans la frivolité, l'ironie dans le grave. » La frivolité lui revenait-elle, tandis que vous étiez « préposée » au grave ?

Je ne dirais pas cela. J'avais et j'ai gardé ma part de frivolité, heureusement ! J'ai fait des folies pour des robes, des chaussures. Mais j'avais aussi des préoccupations qui s'ouvraient sur la vie sociale, la vie politique, sujets qui ne traversaient jamais l'esprit d'Hélène. Pour elle, la femme était destinée à séduire un homme et à en tirer le maximum : *to catch a man* (attraper un homme), selon son expression...

Et vous, vous lui conseilliez l'indépendance ?

Je disais que sa liberté passait par son autonomie financière. Qu'elle devait apprendre un métier, quel qu'il soit. J'avais vu ma mère, après le décès de mon père, se débattre dans de telles difficultés que rien ne pouvait me faire changer d'optique. La dépendance financière est dramatique pour une femme. Assumer matériellement sa vie et éventuellement celle de ses enfants est la clé de la liberté.

J'avais quelques idées fixes, comme d'encourager les femmes à se laver. Nous avions publié un sondage ainsi titré : « Les Françaises sont-elles propres ? », qui avait fait du tapage. Il démontrait que leur sens de l'hygiène n'était pas au « top niveau ». Par exemple, elles changeaient de brosse à dents moins d'une fois par an... Je leur disais aussi d'aller voter. En 1949, il y a eu cette bombe signée Simone de Beauvoir, *Le Deuxième Sexe*, avec son célèbre : « On ne naît pas femme, on le devient », qui commença à secouer les esprits frileux, mais pas à multiplier l'usage du savon.

Mais Elle, *avant tout, c'était la mode ?*

C'était ce qu'on a appelé plus tard la société de consommation, l'explosion des arts ménagers. Au lendemain de la guerre, les femmes manquaient de tout. Elles avaient envie d'être de nouveau jolies, élégantes, frivoles. Christian Dior est arrivé avec son new-look. *Elle* fut le premier journal à le leur révéler comme plus tard Yves Saint Laurent. Hélène inventa les patrons qui permettaient aux femmes de reproduire elles-mêmes les modèles des grands couturiers. Comme Pierre, dans un autre domaine, il fallait donner aux lecteurs et aux lectrices le mieux du mieux. Les aider sans cesse à améliorer leur vie. Hervé Mille avait exprimé ce jugement si vrai au sujet d'Hélène, qu'il admirait autant qu'il l'adorait : « Elle n'aime pas la France, elle n'aime pas les femmes et elle leur offre le meilleur journal possible. » Pierre à *France-Soir*, Hélène à *Elle* exigeaient que l'on donnât « la meilleure qualité pour le plus grand nombre ». Ils faisaient écrire Cendrars, Kessel, Cocteau, Simenon, Colette, Nimier, Gaxotte, Hemingway. J'ai souvenir d'un article très amusant du comédien François Périer, au tout début de la chirurgie esthétique, intitulé : « Je suis le mari d'un nouveau nez »... lorsque sa femme, l'actrice Marie Daëms, fit refaire le sien. Le journal avait un ton très gai. Ce qui ne l'empêchait pas de soutenir l'entreprise de l'abbé Pierre quand il dévoila l'existence des bidonvilles et commença sa croisade pour secourir les « sans-abri ». C'était tout ça à la fois, *Elle*. Sa vocation n'a pas complètement disparu. Il lui arrive encore aujourd'hui de se mobiliser pour les bonnes causes.

Elle avait su tisser un réel lien avec ses lectrices. Notamment avec la légendaire rubrique de Marcelle Segal : « Le courrier du cœur ». Qui avait eu cette idée géniale ? Hélène Lazareff l'avait-elle importée de la presse américaine ?

Marcelle Segal travaillait déjà dans les journaux de Jean Prouvost. Je me souviens d'elle pendant la guerre à Lyon. Elle était chargée de dépouiller la presse étrangère, américaine surtout, et d'en extraire ce qui pourrait en faire un écho ou un encadré dans *Paris-Soir*. Elle était bilingue. Ce n'était pas une femme ordinaire. Drôle avec un physique assez ingrat, ce qui n'empêchait pas un côté radieux, une réelle générosité doublée d'un humour permanent. Toujours prête à aider, à tendre la main, discrètement. C'est très rare dans un journal. C'est très rare partout. Hélène la connaissait d'avant-guerre. Elle a pensé à elle pour tenir cette rubrique, nullement inspirée de l'Amérique. La rubrique du courrier a toujours existé dans les journaux. L'idée ingénieuse était de la cibler sur les affaires de cœur. Hélène l'a eue. Le succès a été fabuleux dès le départ en 1948 et pendant des dizaines d'années Marcelle a continué à distiller ses provisions de bon sens mâtiné d'ironie aux lectrices. Elle ne leur faisait jamais la morale, elle essayait de leur mettre un peu de plomb dans la cervelle.

Régis Debray, dans son ouvrage L'Œil naïf, *écrit :* « *Si le journalisme comme disait Gide c'est "tout ce qui sera moins intéressant demain qu'aujourd'hui", on est fondé à penser que les revues de mode échappent mieux que les magazines politiques à la mélancolie du démodé. Un vieux* Vogue *et un vieux* Marie-Claire *se regardent avec plus de plaisir, et de profit, qu'un vieil* Express *ou un vieux* Figaro, *sans oublier* L'Huma-Dimanche. *Outre que le prêt-à-porter se fane moins vite que le prêt-à-penser... Un édito a des chances sérieuses de faire honte à un journaliste d'opinion cinq ans après sa parution, mais quel cliché dit de mode fera rougir à distance son auteur ? Aujourd'hui, la foire aux vanités n'est plus dans les images mais dans les idées. Les sermons passent, la mousseline reste.* »

C'est vrai, c'est intelligent, et bien écrit. « Honte »

est un mot un peu fort, pour le reste, Régis Debray n'a pas tort. Quand on relit un éditorial, trois ou six mois après, tout est généralement faux. Mais il n'y a pas un éditorial dont j'aie à avoir honte. Je reprendrai à mon compte la phrase de Gide « moins intéressant demain qu'aujourd'hui »...

Lisez-vous encore la presse féminine ?

Honnêtement, non. Elle ne s'adresse pas à une femme de mon âge. Lorsque j'ai l'occasion de feuilleter *Elle* ou *Marie-Claire*, c'est toujours avec plaisir et je trouve en général quelque chose à lire. Vous dire si ces journaux jouent comme *Elle*, autrefois, un rôle de guide dans l'existence des femmes, je n'ai pas les éléments de réponse. Je crois que, plus que les autres journaux, les féminins créent une relation de fidélité avec leurs lectrices ou lecteurs, car on oublie qu'il existe un pourcentage masculin qui les regarde. Les achètent-ils, je n'irais pas jusque-là, ils les empruntent à l'occasion à leurs femmes, à leurs filles. Ce lien fait qu'elles suivent leur journal pour acheter des bas rouges ou des lunettes vertes, mettre un anneau dans le nez si un Dior ou un Gaultier décide que c'est la mode. Je constate que les féminins se roulent plus dans le sexe que dans le cœur, ce qui était impensable autrefois. L'orgasme n'a plus de secret pour personne, ce qui doit être pris comme un progrès. Quand vous songez qu'avant la guerre le mot « amant » était interdit dans *Marie-Claire*...

Au bout de cinq ans, en 1951, vous faites part à Hélène Lazareff de votre désir de quitter le journal pour suivre Jean-Jacques Servan-Schreiber qui a ce projet de L'Express. *Comment a-t-elle réagi ?*

Ça a été affreux. Aussi violent qu'une rupture amoureuse. Elle était très possessive vis-à-vis de tout le monde et plus encore avec moi. En plus, je la quittais pour faire un journal. Je trompais un journal avec un autre journal. Ça l'a rendue folle. Elle s'est précipitée chez ma mère pour lui demander de m'empêcher de faire ce qu'elle considérait être une énorme bêtise : quitter la forteresse *France-Soir* ! Ma mère qui l'a reçue très gentiment lui a répondu : « Si Françoise a décidé, rien ni personne ne pourra l'en empêcher. Elle est têtue comme un âne. » Ma mère adorait Jean-Jacques et le projet *L'Express* l'intéressait plus que *Elle*. Par conséquent, elle était très contente et me faisait confiance. Pierre a beaucoup mieux réagi. Il était indulgent, compréhensif tandis qu'Hélène était un roc. Et puis, il se disait : « Ça va rater et elle reviendra. » Il s'est passé un très long moment sans qu'Hélène et moi ne nous soyons revues. Je l'ai retrouvée parce que j'avais écrit un texte sur elle pour un livre. Quelqu'un le lui a lu et elle en a été bouleversée. Elle m'a appelée pour me demander de venir la voir à Louveciennes. J'y suis allée. Elle avait toujours ce côté brouillon, jamais à l'heure, égarant tout, clés, agenda, sac... Tout le monde s'en amusait, trouvait cela exotique. En réa-

lité, ce charmant désordre marquait les prémices de
l'abominable maladie d'Alzheimer qui l'a ravagée
pendant dix-huit ans. Elle est morte en février 1988.
Quand Pierre apprit la nature de son mal, il souf-
frait déjà d'un cancer, il est devenu fou de douleur.
La fin de ce couple – ils en formaient vraiment un –
qui avaient eu une existence flamboyante, dont ils
avaient su faire profiter tout leur entourage, fut
sinistre. Je me souviens de l'enterrement de Pierre.
J'étais accompagnée d'Hervé Mille. Hélène, qui ne
réalisait déjà plus les choses, se retournait sans cesse
vers nous pour demander : « Mais où est Pierre ? »
C'était horrible.

*Comment expliquez-vous qu'il n'existe plus d'autres êtres
si rayonnants ?*

Il y en a, mais dans d'autres milieux. Ce qui a
disparu à Paris, c'est ce que j'appellerais des coagu-
lateurs. Des gens qui réunissent les autres, qui pro-
voquent des rencontres, des contacts... Ce qui
signifie avant tout « recevoir ». Les Lazareff recevaient. L'éditeur René Julliard recevait. Plus modestement, *L'Express* recevait, et des gens très divers
étaient heureux de se rencontrer. C'est fini pourquoi ? J'ai une théorie à ce sujet : c'est la manie
du week-end à la campagne qui a tué les rencontres
d'autrefois. Elles avaient souvent lieu le vendredi
soir, parfois le dimanche. Les gens ont pris l'habitude d'aller plutôt tondre leur gazon. Il n'y a même
plus un café littéraire...

À la disparition, en avril 1972, de Pierre Lazareff, vous lui consacrez votre colonne de L'Express. *Vous écrivez : « Le cœur plus grand que lui, la rue à sa semelle, l'amour dans son moteur et cet air qu'il eut toujours d'attendre que l'huissier vienne enlever les meubles après la fête, Pierre Lazareff était irrésistible. D'ailleurs on ne lui résistait pas »... Un paragraphe plus loin : « Personne ne mérita mieux d'être aimé et ne le fut davantage par les grands mais aussi par les humbles, et par les femmes, que ce petit homme tendre et chétif, au visage de vieux Poulbot privé de vacances... » pour terminer : « Alors une seconde d'inattention, et la mort est entrée, la nuit dans sa chambre, à l'heure où, à* France-Soir, *on cherche ce qui fera cinq colonnes à la une. »*

Oui... Ces lignes d'affection et de chagrin, c'était bien le moins que je lui devais. Je ne me souvenais pas des mots exacts, mais Pierre ne possédait rien, dépensait sans compter. Il ne tenait à rien sinon à ceux qu'il aimait et au bonheur de vivre intensément chaque instant.

4

L'ÉCRITURE

« Le plaisir que j'ai à poser mes banderilles. »
Émile Henriot, de l'Académie française.

FRANÇOISE GIROUD. Je répondrai à la phrase d'Émile Henriot par une citation, de Malraux : « On sent les coups que l'on reçoit, jamais ceux qu'on donne. » Il m'est arrivé d'écrire des articles virulents et par conséquent de blesser les personnes que je mettais en cause. Il m'est arrivé d'être attaquée aussi et donc de sentir la morsure des mots. Je dirais que c'est le jeu, en tout cas la règle qui s'applique aux personnes qui sont exposées, spécialement en politique où tous les coups semblent permis. Les journaux d'aujourd'hui, si on les compare avec ceux du siècle dernier, sont moins violents, du moins dans la forme. Il n'existe plus de grands polémistes. Le dernier fut François Mauriac et c'était à *L'Express* entre 1956 et 1960. Son *Bloc-notes* demeure un modèle dans l'art de « poser les banderilles ».

MARTINE DE RABAUDY. *Le scénario qui a été votre formation est, dites-vous, la meilleure école d'écriture du journalisme.*

Attention, ce n'est plus vrai. Je parle d'une époque, celle où j'étais scénariste dans les années 1940 où un bon film devait toujours raconter une histoire avec des ressorts dramatiques. Le cinéma américain a conservé cette règle.

En France, la Nouvelle Vague et ses séquelles l'ont détruite, pour le meilleur et pour le pire, jugeant que c'était du cinéma d'autrefois. J'ai appris à écrire un film avec Henri Georges Clouzot, entre autres. Un article bien construit, c'est un bon scénario. Il prend le lecteur par la main et celui-ci n'a plus envie de la lâcher. Voilà en quoi je suis redevable à cette formation.

Dans Le Voleur et la Maison vide, *Jean-François Revel témoigne : « Françoise Giroud avait joué longtemps la couturière aux doigts de fée qui ravaudait les articles les plus bancals et sirupeux. Elle raccourcissait les phrases, supprimait les chevilles, éliminait les transitions pesantes, rajoutait des attaques et des conclusions frappantes, coupait et intervertissait les paragraphes, pressait le récit. Elle avait contribué à expurger le journalisme de son ton décla-*

matoire, didactique, raisonneur, pompeux et prolixe qui terrassait le lecteur. » Est-ce ça, la griffe Giroud ?

Ce que dit Revel est flatteur, ses remarques m'honorent. Avec l'équipe du journal, nous avions conscience d'avoir électrisé le style journalistique, trop souvent empêtré dans des tics universitaires. Le journalisme n'est pas un sous-produit de la littérature, mais une discipline particulière, dont un magazine comme *Time* avait la totale maîtrise. On a tout cassé jusqu'à faire école en France. Et ça a marché !

« L'écriture ne s'apprend pas, elle se travaille », affirmez-vous.

L'écriture ne s'apprend pas, donc ne s'enseigne pas. C'est une disposition naturelle. Comme pour le piano, on a le don ou on ne l'a pas. Si on l'a, il faut travailler dur. Savoir qu'un adverbe est presque toujours superflu, un « qui » ou un « que » par phrase le maximum autorisé. Il faut écrire avec l'oreille, comme le faisait Flaubert, pour éviter les assonances et les hiatus. Respecter la musique personnelle de chacun, cette qualité si rare. J'avais édicté un certain nombre de règles simples. Numéro 1 : inutile d'avoir du talent à la cinquième ligne si le lecteur vous a lâché à la quatrième. Numéro 2 : si on peut couper dix lignes dans un article sans enlever une idée, c'est qu'elles étaient en trop. Numéro 3 : jamais de point d'interrogation dans un titre, cette vilaine manie de la presse française. Un journal est là pour répondre aux questions des lecteurs, non pour en poser. Numéro 4 : par contre, placer un verbe dans un titre le renforce. Numéro 5 : suivre le conseil de Paul Valéry : de deux mots, choisir le moindre. Et le moindre ne signifie pas le plus mou, le plus plat mais celui qui a... comment dire... la taille la plus fine.

Ne pas oublier que l'écriture est comme la danse, il ne faut jamais arrêter les exercices à la barre. Après une interruption un peu prolongée, la reprise est dure.

À *L'Express,* je n'étais pas seule à effectuer le métier de « réparateur de style », ainsi défini par Revel. Jacques Duquesne était excellent. Les soirs de « bouclage », il reprenait toute la copie ayant besoin d'une remise en forme. C'était précieux. Cette façon de travailler importée de la presse anglo-saxonne porte le nom de « rewriting ». Elle demeure, je crois.

Angelo Rinaldi raconte qu'un soir où il vous avait accompagnée à la Comédie-Française, dès le spectacle terminé, vous lui aviez dit : « Je retourne au journal changer un mot dans mon papier », il ajoute : « Avec elle, un papier n'était jamais fini. »

C'est amusant ce que raconte Rinaldi, et vrai... Chaque mot doit être le mieux approprié, le moins banal, sans être précieux. Le premier n'est pas toujours le bon et ça vous obsède. Il m'est arrivé plus d'une fois, l'ayant enfin trouvé, d'aller au journal, à toute heure, l'inscrire dans un de mes articles ou dans celui d'un autre. Tant que le journal n'est pas calé sur machine, la tentation est permanente de perfectionner un papier, un titre, une légende...

Le photographe Willy Ronis écrit dans la préface de son dernier album, Derrière l'objectif : « *En relisant mes textes, je me dis qu'avec une semaine de plus j'aurais pu améliorer celui-ci ou celui-là. Mais peut-être était-il temps qu'on me les arrache pour m'éviter de tout bousiller.* » *Qu'en pensez-vous ?*

Ce risque existe. À trop travailler un texte, on en casse le mouvement, cette chose si difficile à capter, le tempo. Stendhal, ce n'est pas la perfection de Flaubert, mais il caracole.

« On écrit pour la personne à qui l'on remet son article. C'est elle qui stimule, qui critique. » Patronne du journal, à qui remettiez-vous le vôtre ?

À *L'Express,* je montrais mes articles à celui qui était là, rédacteur en chef ou pas, juste pour avoir une ou deux réactions immédiates. Toute ma vie, j'ai tenu compte de ces réactions. Depuis que j'écris dans l'*Observateur,* j'envoie, chaque semaine, mon article par fax à Serge Lafaurie et Pierre Bénichou. J'attends leurs observations. En général peu de chose, mais j'en tiens compte.

En 1964, vous transformez la maquette de L'Express : *articles plus concis, illustrations plus importantes, format réduit. Beaucoup, à la rédaction, renâclent et prennent ces changements comme une brimade.*

L'Express n'allait pas très bien, les ventes diminuaient avec la fin du contrat pour la décolonisation. Jean-Jacques a décidé de le remodeler pour en faire un « news magazine », à la manière de *Time* et de *Newsweek*. C'était une réadaptation. Écrire court est en général ressenti comme une sanction. Moi, cela ne m'a jamais perturbée. Je m'accorde avec n'importe quelle longueur. Ce qui n'est pas le cas de tous. Jean Daniel, par exemple, qui écrit très bien, a toujours eu besoin d'espace. Souvent, il m'a proposé pour ma chronique de télévision : « Françoise, pourquoi ne prenez-vous pas une colonne de plus ? » Je lui réponds, pour le taquiner : « Jean, pourquoi ne prenez-vous pas une colonne de moins ? »... La longueur est une caractéristique très personnelle, presque biologique. Spontanément, j'écris court. Jean Monnet me disait : « Il vous faut moitié moins de mots qu'aux autres pour dire la même chose. » Mais ce n'est pas délibéré.

Pour un journaliste, c'est un atout. Pour un écrivain, nullement. Camus est le champion de la phrase courte, mais pas Chateaubriand, ni Proust évidemment. Il n'y a pas de règle. Nabokov racontait que son éditeur lui avait dit : « Tout écrivain porte en lui gravé un certain chiffre : le nombre de pages exact du plus volumineux de ses écrits, passés ou à venir. »

Pour Nabokov, le chiffre était 385. Ce qui se vérifia par la suite.

Dans un journal, lorsque le lecteur ouvre une double page, il doit pouvoir embrasser du regard le titre de l'article et sa signature. Si on l'oblige à tourner la page, il se dit : « Je lirai ça quand j'aurai le temps... », résultat, ce sont des articles jamais lus. En deux pages, on peut dire beaucoup de choses.

À propos de ce nouvel Express, *François Erval, qui dirigeait la section littéraire, était arrivé un soir, la mine déconfite, pour dîner avec Jean-François Revel et lui avait dit :* « *Vous me voyez demander à Sainte-Beuve ou à Baudelaire de me faire cinq mille cinq cents signes ?* »

Le pauvre Erval ! C'était un homme merveilleux, qui savait tout de la littérature de tous les pays. D'origine hongroise, il parlait toutes les langues et il dirigeait la collection « Idées » chez Gallimard. Peu de personnes m'ont autant appris que lui. Oui, il était indigné par cette histoire de calibrage. Mais il se trompait. Imposer cinq mille cinq cents signes à Baudelaire, évidemment non. Mais concernant Sainte-Beuve, la consigne aurait été excellente.

Lorsque vous commandiez un article à un homme politique ou qu'il vous en proposait un, lesquels étaient les plus doués pour l'écriture ?

Les hommes politiques ne constituent pas une espèce homogène face à l'écriture. François Mitterrand écrivait très bien. Mendès France avait moins de bonheur, mais il donnait des textes écrits dans une bonne langue classique, sans charme, sans originalité. Tout comme Valéry Giscard d'Estaing. Gaston Defferre, qui pourtant était journaliste, propriétaire du *Provençal*, n'avait pas le don de l'écriture. Il n'avait pas non plus une bonne diction, mais on restait sous le charme débordant de cet homme. Mendès France était un magnifique, splendide orateur dans la simplicité, la clarté. Malgré tout, évoquant Mitterrand, il disait : « Il est meilleur que moi. » Cet agacement permanent qu'ils avaient l'un vis-à-vis de l'autre, c'était amusant.

Ce qui paralyse l'homme politique, c'est la prudence : attention à ceci, attention à cela. Au bout du compte, ils, ou leurs conseillers, enlèvent tout caractère à ce qu'ils souhaitaient dire. C'est un métier extraordinairement difficile de parler à tous sans rien dire...

À propos de mots proscrits, me revient une anecdote avec Léon Zitrone. Il travaillait à *Jours de France*, hebdomadaire qui appartenait à Marcel Dassault, sous-titré « Le journal de l'actualité heureuse ». Donc, Zitrone écrit un portrait de moi dans lequel je lis : « Quand mon père nous a quittés... » Quelques jours plus tard, je le rencontre et lui demande : « Pourquoi avez-vous dit ça ? Mon père ne nous a jamais quittés. Il est mort ! » Il m'a fait cette réponse effarante : « Je le sais, madame, mais dans *Jours de France,* on ne meurt pas ! »

Dassault voulut nous attirer dans son journal, Jean-Jacques, Mauriac et moi. Il nous a invités à déjeuner tous les trois, lors d'un séjour à Megève. Il a proposé à Jean-Jacques un avion ; à François Mauriac, un pont d'or et à moi, un pont... plaqué or. Quand il a vu que ça ne marchait pas, il n'a pas insisté et on a parlé d'autre chose. C'était, dans son domaine, un grand bonhomme !

« L'écriture m'a été une arme de combat. » Avez-vous conscience qu'un mot peut détruire ou déstabiliser celui à qui on l'adresse ? Avez-vous éprouvé des repentirs ?

Des repentirs, je n'irai pas jusque-là. Mais j'ai eu conscience d'avoir parfois tapé fort. Juste mais fort. Par exemple, avec Jacques Chaban-Delmas dans un article demeuré célèbre pour sa phrase de chute : « On ne tire pas sur une ambulance. » Marcel Bleustein-Blanchet l'avait invité à une projection privée avec d'autres personnalités. Il me raconta qu'une personne lui avait glissé *L'Express,* quelques minutes avant le début du film. Il a lu, est devenu blême et a compris tout de suite que pour lui c'était terrible. C'était en 1974, au moment où il était candidat à la présidence de la République, à la suite de la disparition de Pompidou. Il ne me l'a jamais pardonné. On peut écrire une phrase, sans en mesurer l'effet sur la personne qu'elle met en cause. C'est une question de sensibilité personnelle. Ce n'était pas très agréable, je le conçois. Cette phrase a tellement frappé qu'elle est devenue une expression courante. Peu de gens en connaissent aujourd'hui la source.

Tout comme la « Nouvelle Vague » qui, elle aussi, fait partie de votre patrimoine.

« La Nouvelle Vague » était le titre d'un sondage que nous avions publié dans *L'Express*. Il révélait l'émergence d'une génération avec ses goûts, ses aspirations, ses désillusions. Les jeunes cinéastes de l'époque, appartenant à la bande des *Cahiers du cinéma*, les Chabrol, Truffaut, Godard, Rivette, s'en sont emparés et en ont fait leur bannière. Si j'avais déposé le titre à la Société des auteurs, je serais assise sur un tas d'or...

Dans L'Express, *même François Mauriac avait contesté ce courant. Le 25 septembre 1960, il écrit dans son* Bloc-notes : « *Au vrai, la Nouvelle Vague est un mythe. Il n'y a pas de Nouvelle Vague mais un moutonnement de vagues courtes, et pressées qui s'écroulent l'une sur l'autre...* »

Et pourtant, elle existait bel et bien, mais absorbé par l'actualité politique, il ne l'avait pas vue déferler...

Pour « la pose des banderilles », Mauriac et vous atta-

quiez les mêmes animaux, ceux du monde politique. Vos jugements rivalisaient en férocité. Au sujet de Giscard, vous pointez : « M. Giscard d'Estaing a toujours eu l'art de paraître étranger aux gouvernements dont il est membre. » Pompidou, épinglé le 10 avril 1966 : « Luisant, lustré, massé, sapé, M. Georges Pompidou n'a jamais ressemblé davantage à un président-directeur général de société expliquant au petit personnel comment on réussit quand on est travailleur et qu'on économise sur sa paye. Après quoi : "Chauffeur", à Deauville… » Dans le numéro daté du 21 août au 3 septembre 1967, c'est à de Gaulle de prendre ça : « Le général de Gaulle n'est plus comme il aime à le croire adoré par les uns et détesté par les autres. C'est plus grave : il n'est plus à la mode. »

Jacques Julliard qualifie vos formules de « coups de pistolet ».

Jacques Julliard parle en fine gâchette. Il sait placer une balle entre les deux yeux : le mot qui tue. Ce sont toujours ceux-là qui s'impriment dans les mémoires. Depuis des dizaines d'années, les lecteurs se réjouissent ou s'offusquent des « descentes » d'Angelo Rinaldi, oubliant le nombre d'articles louangeurs qu'il aura écrits au long de sa vie de critique. Si on en faisait le compte, il dépasserait de loin celui de ses chroniques à la réputation impitoyable. La mémoire est sélective et se régale des petites cruautés du moment. Quant à m'intégrer à la famille d'écriture, même lointaine, de François Mauriac, je l'accepte avec fierté.

Vous est-il arrivé de freiner votre plume parce qu'il s'agissait d'un ami ? François Mitterrand a-t-il jamais été dans votre ligne de mire ?

J'ai écrit un article au moment de l'affaire Bousquet qu'il avait trouvé fort déplaisant. Je ne le regrette pas. J'ai signé une pétition avec quelques intellectuels qui lui reprochaient sa passivité lors des bombardements serbes en Bosnie. Quand il a lu mon nom, il m'a égratignée, me traitant de « grand stratège militaire ».

Ce que je trouve nauséeux, c'est l'avalanche de livres en forme de règlements de comptes publiés depuis sa disparition.

Avez-vous sacrifié des amitiés à cause d'un article qui disait la vérité ?

Non, je ne vois pas. Il y a eu des moments de refroidissement avec quelques-uns mais le temps les a réchauffés. Je garde le souvenir d'une brouille sévère avec l'écrivain Roger Vailland, qui était mon ami. Ma responsabilité était indirectement impliquée. J'ai gardé notre échange de courrier.

« Ce 1er mars 1963

« Françoise,

« Je respecte profondément la liberté de la critique. Mais la page de *L'Exprès [sic]* consacrée au *Regard froid,* texte, photo et présentation, marque une volonté délibérée de me faire injure. Je suis très surpris de la trouver dans un journal dont vous êtes directrice. Ainsi vous mettez fin, gratuitement, à une amitié de vingt-trois ans. Voilà ce qui est impardonnable et que je ne pardonnerai pas.

Roger Vailland. »

À quoi je répondis le jour même :

« Cher François (c'était son pseudonyme de journaliste),

« Votre réaction me stupéfie.

« Je n'ai pas encore lu votre livre et je n'ai donc pas d'opinion personnelle à son sujet. Mais, m'imaginez-vous, disant au garçon qui en a jugé : "Nous ne passerons pas cet article parce que Roger Vailland est un de mes amis..." ?

« Il n'y a pas un critique de *L'Express,* de quelque section que ce soit, qui ait jamais eu à subir ce genre de dictature. Elle porte un nom d'ailleurs : la complicité des gens en place. Je ne peux pas croire que vous trouviez cette complicité décente.

« Vous êtes, François, à ce stade où la célébrité engendre forcément la contestation. C'est le signe même de votre importance et la rançon de toute réussite. On ne conteste pas un débutant, ou un inexistant. On l'ignore.

« Je sais fort bien que, parfois, cela fait mal, pour l'avoir éprouvé. Et je regrette profondément que ce soit à vous que *L'Express* ait fait du mal. Mais je crois aussi que, à la réflexion, vous vous souviendrez d'un jeune homme qui était prêt à faire sauter la planète pour que tremblent sur leur socle les gloires installées, et qui s'appelait Roger Vailland.

73

« C'est lui qui ne vous pardonnerait pas la lettre que vous m'avez envoyée s'il pouvait la lire. Et il le peut. Elle n'est pas si loin, François, notre jeunesse...

Françoise Giroud. »

Je me souviens que Mauriac avait écrit quelques lignes dans son *Bloc-notes* sur ce roman qui n'étaient pas très éloignées du jugement que lui portait le critique de *L'Express*.

À la suite de cet incident, je n'ai plus revu Vailland pendant un long moment. J'ai appris qu'il était tombé très gravement malade et je lui ai rendu visite. Il était à l'agonie. Il ne voulait pas mourir, refusant d'admettre qu'il était à bout. C'est un homme que j'aimais beaucoup, avec qui j'avais entretenu une véritable amitié, quand nous étions à Lyon pendant la guerre. Cet exil avait créé des relations étroites.

En fait, comme le disait Roger Judrin, un critique de la *NRF (Nouvelle Revue française)* : « Parler d'un contemporain lorsqu'il est un ami, c'est avoir la corde au cou »... Comme c'est juste !

Vous avez pratiqué tous les genres d'écriture : le reportage, le portrait, l'interview, la critique de cinéma, de livres, de télévision, l'éditorial. Lequel préfériez-vous ?

Tout me convenait. J'aimais tous les genres, tous les rythmes. Le travail à chaud du reportage, celui qui demande plus de réflexion, comme la critique ou l'éditorial. Une de mes plus excitantes expériences à chaud fut lorsque Pierre Lazareff me demanda de « couvrir » en direct le couronnement de la reine Élisabeth II d'Angleterre, en 1952. Je travaillais déjà au projet de *L'Express,* Jean-Jacques était fou furieux. Je suis partie pour Londres. Il pleuvait, on m'avait réservé un balcon d'où j'avais la meilleure vue sur le cortège royal. Ma machine à écrire devant, le téléphone en main pour dicter mon article à Paris, en même temps que je l'écrivais. Pierre, dans son bureau, rue Réaumur, faisait la coordination entre les différents papiers reçus des envoyés spéciaux de *France-Soir* et les éditions successives du journal. À l'époque, il y en avait cinq, je crois. C'était de la haute voltige. Soudain, il s'est mis à pleuvoir. Des cordes. Je ruisselais. Trempée des pieds à la tête, toujours clouée devant ma machine. J'ai attrapé la bronchite de ma vie. Le lendemain, ma veste n'était toujours pas sèche.

Avez-vous réalisé beaucoup de reportage de ce type pour France-Soir ou d'autres journaux ?

Oui, bien sûr. Je n'ai jamais fait de reportage de guerre, mais j'ai fait plusieurs reportages aux États-Unis, au moment de la mort de John Kennedy par exemple ; en Union Soviétique à une époque où les journalistes n'entraient pas facilement ; à Cuba tout de suite après la révolution ; en Inde où j'ai vu le pays de haut en bas grâce à l'appui que m'a donné Mme Gandhi ; en Chine aussi... Je dois en oublier...

Et puis j'ai fait ce reportage un peu particulier à Rome en allant voir Ingrid Bergman et Roberto Rossellini qui vivaient retranchés dans une forteresse Ils formaient le couple à scandale du moment. Elle avait quitté son mari, un dentiste suédois, pour l'épouser. Mise à l'index par Hollywood, elle vivait à Rome avec Rossellini dont elle venait d'avoir un bébé. Toute la presse mondiale était à leurs basques. Mais ils étaient inaccessibles, barricadés. Il se trouve que je connaissais très bien Rossellini. En arrivant, je lui fais porter un message pour lui signaler que je suis à Rome et que cela me ferait plaisir de le voir. Il me répond : « Venez, vous, on vous laissera passer. » Ils étaient gardés comme des prisonniers. Je me retrouve alors dans un appartement banal, Ingrid Bergman faisant cuire des spaghettis, le bébé dort sur la terrasse. Cette terrasse, c'était le moyen trouvé pour qu'il prenne l'air à l'abri des photographes.

J'ai avalé les spaghettis en interrogeant longuement les deux amants qui ne demandaient qu'à parler tant ils vivaient confinés. J'ai donc réussi, sans mérite, un vrai coup. J'ai encore en mémoire les derniers mots de mon article que je prêtais à Ingrid, s'adressant à son mari délaissé : « Je n'ai envie de vous tromper, monsieur, que lorsque je vous vois. » J'adore cette phrase qui est, je crois, de la princesse de Condé.

Vous venez d'évoquer ce qu'on appelle dans le jargon du métier un « scoop », mais avez-vous des regrets, subi des ratages ?

Un regret énorme de n'avoir jamais interviewé le général de Gaulle. Le colonel Passy a essayé d'organiser une rencontre mais cela ne s'est pas arrangé. Échec aussi avec Churchill. Lazareff m'a envoyée l'interviewer. Il m'a reçue gracieusement en disant : « J'écris très bien moi-même, mademoiselle. Votre directeur le sait certainement. » Il écrivait, en effet. À prix d'or. Il m'a invitée à dîner mais je suis rentrée sans interview.

5

PIERRE MENDÈS FRANCE

« Nous croyons qu'il y a un honneur de la politique. Nous croyons non moins fermement qu'il y a une politique de l'honneur et que cette politique vaut politiquement mieux que l'autre. »

Georges Bernanos.

FRANÇOISE GIROUD. La phrase de Bernanos est un peu alambiquée mais sur le fond je l'approuve. Aujourd'hui, toute la gamme des valeurs qui nous animaient a disparu. Je ne dis pas que c'est bien ou mal. Reste une valeur suprême comme repère : l'honneur. L'appliquer à Mendès France est une réalité incontestable. L'honneur était le socle de son action. Connaissant sa valeur, il a su également en payer le prix.

MARTINE DE RABAUDY. *Pourriez-vous, en quelques lignes,*

tracer son portrait à une génération pour qui son nom n'évoque presque plus rien ?

Mendès France était un homme d'État, réformateur, doué d'un patriotisme rugueux, intègre. Un homme de courage et de convictions, ancré au centre gauche. Un économiste à une époque où le milieu politique ignorait tout en ce domaine et lui était même réfractaire. Il tranchait tellement sur les hommes politiques de ces années-là, les radicaux. Mauriac avait écrit de lui : « On peut se demander pourquoi, à son entrée dans la carrière, Pierre Mendès France a choisi le radicalisme : c'est que, dans le régime des partis, il faut bien enfourcher une monture. » Mauriac donne la clé. Blum était un homme respectable mais il n'avait plus les cartes en main. En 1946, désapprouvant la politique financière du général de Gaulle, Mendès a refusé de rester ministre des Finances. Il a dressé contre lui le Parlement en répétant qu'il fallait rétablir la paix en Indochine. Ce qu'il réussit à faire pendant le court temps où il fut Président du conseil. Puis il y eut les problèmes de la Tunisie, du Maroc qu'il a pris à bras-le-corps et enfin est arrivé le plus grave, celui de l'Algérie. Là encore, il a recommandé la négociation. La droite le haïssait, l'accusant d'être le bradeur de l'empire colonial français. Les jeunes l'aimaient et ils avaient raison. Il n'a jamais accepté, en 1958, que de Gaulle revienne dans les bagages des généraux, disait-il. Et il a refusé de le rencontrer. A-t-il eu tort ? Il a cru sincèrement que l'on revenait à un régime style Napoléon III et que l'armée allait s'emparer du pouvoir. Nombreux se sont trompés, moi y comprise. Il faut reconnaître que cette armée était terrifiante, avec des types comme Massu. Cette erreur de discernement, je ne me la suis jamais pardonnée. Elle me brûle encore. À ma décharge, j'étais entourée de poids lourds comme Mitterrand, Mendès, Jean-Jacques et même Mauriac, qui à l'époque n'était pas encore l'inconditionnel de De Gaulle, et je me suis laissé influencer. Seul Defferre a vu juste. On a sous-estimé la ruse de De Gaulle et sa capacité, une fois au pouvoir, à casser l'armée.

Comment avez-vous rencontré Mendès ? Quelle fut sa réaction lorsque JJSS et vous lui avez parlé de créer un journal pour lui ?

Jean-Jacques a connu Mendès, je crois, lorsqu'il était journaliste au service politique du *Monde*. Mendès éprouva de la sympathie à l'égard de ce jeune homme effervescent qui voulait fonder un journal qui portait l'ambition de le hisser au pouvoir. Il était comme de Gaulle, il ne pensait jamais que l'on faisait une action pour l'aider, mais pour aider la France.

Moi, je l'ai connu un soir de décembre en 1951. Jean-Jacques m'avait emmenée à l'Assemblée entendre son intervention sur l'Indochine. Salle

81

silencieuse, comme pétrifiée, ce qui n'est pas coutumier dans ce lieu. À l'issue de la séance, ses pires adversaires se précipitèrent pour le féliciter. Il les avait pris aux tripes. Nous avons ensuite dîné avec lui au restaurant puis Jean-Jacques s'est éclipsé – un train à prendre. Ce fut alors ma première longue conversation en tête à tête avec cet homme qui m'impressionnait un peu. Il a été on ne peut plus gentil et m'a donné un cours particulier d'économie dont j'avais grand besoin.

N'était-il pas étonné de voir une jeune femme, sortie d'un magazine féminin, se passionner pour la politique et l'économie ?

Il n'existait pas trace de misogynie chez cet homme. Il respectait les femmes et cela ne l'étonnait nullement de me voir m'intéresser à la politique. Le contraire lui aurait paru anormal.

Aujourd'hui, il semblerait tout à fait irréaliste de vouloir créer un journal pour porter les idées et les ambitions d'un homme politique. D'ailleurs, même à vous deux, à l'époque, on disait : « Vous êtes fous ! »

Les hommes politiques ont toujours essayé d'avoir leur journal du temps que l'imprimé était roi. Les journaux de Clemenceau ont été célèbres. *L'Homme libre*, par exemple. Léon Blum a écrit pendant des années l'éditorial du *Populaire*. Et bien d'autres. Ces journaux n'avaient pas une grande diffusion mais une grande influence dans le milieu politique et alentour. Ce n'était donc pas original de vouloir faire un journal pour la défense des idées de Mendès France.

Ce qui a distingué *L'Express,* c'est qu'il a été tout de suite « généraliste ». Politique, certes, mais traitant de l'actualité littéraire, cinématographique, ce qu'on nomme le « culturel ».

Cela provoqua des situations amusantes. Tout le monde disait : « C'est le journal de Mendès. » Faux. *L'Express* n'a jamais été à lui, si peu que ce soit. Mais comme les gens le croyaient, ses amis, ses relations, lui téléphonaient pour se plaindre ou lui demander un service. Un jour, Jules Romains l'appelle, fou de colère contre l'article publié sur son dernier livre. Mendès l'envoie à Jean-Jacques, qui le renvoie vers moi. Mendès est embêté : « C'est un personnage très virulent, il me poursuit de sa rage et il dispose d'une tribune dans *L'Aurore.* Françoise, que pouvez-vous faire pour le calmer ? » Je lui réponds : « Rien, président, rien. En tout cas, il n'y aura pas une ligne gracieuse sur lui dans le prochain numéro. Il en va de la réputation des pages littéraires du journal. » Mendès s'étonne : « *Les Hommes de bonne volonté,* j'avais trouvé ça très bon autrefois. » « Moi aussi, président. Mais c'était il y a trente ans. Aujourd'hui, c'est illisible. » Je passe sur la suite de notre conversation, qui dura trois quarts d'heure. Mendès était capable de vous tenir au téléphone pendant un temps infini, comme s'il vous avait en face de lui. Pour conclure, je lui ai conseillé de lire un peu de littérature contemporaine. J'ignore s'il l'a fait, mais je crois que notre conversation a ébranlé sa foi en l'Académie française.

Deux images d'Épinal illustrent Mendès France : le verre de lait qu'il faisait distribuer aux enfants dans les écoles primaires et, beaucoup plus tard, celle de l'homme, déjà malade, qui ne peut retenir un sanglot lorsque François Mitterrand, à peine élu en 1981, l'embrasse en public, au cours d'une cérémonie à l'Élysée.

Le verre de lait, c'est folklorique. Cette idée a dû sortir du cerveau d'un conseiller pour montrer que la République se préoccupait de la bonne santé de ses enfants.

L'accolade de l'Élysée, en 1981, marque un instant émouvant, celui d'un homme véritablement bouleversé de voir la gauche enfin gagner, avant de mourir. On n'imagine pas maintenant que l'on a pris l'habitude de voir la gauche gouverner ce que cette victoire représentait. Giscard, homme remarquable et respectable que Chirac, lors de cette élection, a poignardé, n'était pas populaire. Il incarnait, de façon injuste, car il ne l'était pas plus qu'un autre, le monsieur du château, de sorte que sa défaite fut ressentie par une partie de la population comme la défaite d'une « classe » à laquelle elle n'était pas fâchée de faire la nique.

Ce genre de sentiment, la revanche, n'animait pas Mendès, mais le poids des années, des combats, des blessures qu'il avait fallu endurer pour en arriver là où il ne pensait jamais voir un socialiste, ce poids était très lourd. Il se trouve que j'ai pu bavarder un peu avec lui, le soir de la victoire de François Mitterrand, il arborait ce sourire qui parvenait à le rendre beau, alors que, honnêtement, il ne l'était pas. Ce soir-là il était heureux et, tout à coup, il a dit : « Maintenant ça va tanguer ! » C'était bien vu !

Le 18 octobre 1982, Pierre Mendès France disparaît. François Mitterrand, lors de funérailles solennelles, lui rend ce vibrant hommage : « Sans vous, rien n'aurait été possible. » Quel sens donnez-vous à ce « rien » ?

Ce « rien » ne cache aucun mystère, ne demande aucune explication. Si, à un moment donné du long parcours de la gauche, Mendès France avait joué, ne fût-ce qu'un seul jour contre Mitterrand, il lui aurait enlevé ses chances de parvenir au pouvoir suprême. Par ces mots, François Mitterrand, président de la République, lui témoignait sa gratitude de manière solennelle.

Gilles Martinet, ambassadeur de France à Rome pendant le premier septennat de François Mitterrand, écrit : « Pierre Mendès France et François Mitterrand ne se retrouvaient que sur la politique. Mais ils la voyaient et surtout la pratiquaient d'une manière différente. L'un croyait à l'avenir, l'autre au destin. » Partagez-vous son point de vue ?

La formule de Martinet traduit bien une partie de leurs différences. Les sentiments qu'ils éprouvaient l'un envers l'autre étaient complexes. Totalement dissemblables et d'une certaine façon en rivalité, sans se l'avouer. Il était évident qu'ils n'avaient pas la même physionomie publique. Mendès était auréolé de vertu, ce qui n'a jamais caractérisé Mitterrand. Par moments, ce dernier s'en exaspérait. Mendès disait : « Il a plus de talent que moi », après chaque discours de Mitterrand à l'Assemblée. Ils se marquaient à la culotte, comme on dit. Il existait des tensions, mais à ma connaissance jamais d'éclat entre eux. Ils ne s'aimaient pas mais aucun des deux n'a jamais nui à l'autre, au contraire. Les convictions, ça sert quelquefois.

Le pouvoir pour le pouvoir n'intéressait pas Mendès. Il voulait changer la France, la réformer. Pour cela, il avait des idées fortes et originales. En même temps, il pouvait être très crispé sur certains sujets. Par exemple, il n'a rien compris à l'Europe. Il n'a pas voté pour le Marché commun. Mitterrand a, lui, compris tout de suite, Defferre également. Mendès était rigide. De Gaulle disait de lui : « C'est un cheval qu'on n'attelle pas. » Mendès n'avait pas comme Mitterrand une bonne grosse ambition violente, qui fait que l'on écarte tout sur son passage. Sa faiblesse était là. Une fois au pouvoir, il était formidable pour prendre les décisions, assumer des responsabilités et entraîner les autres dans son sillage.

Ces deux-là ne faisaient pas non plus le même usage du pouvoir. Mitterrand en a goûté au maximum. Il adorait ça. Ces institutions qu'il avait tant décriées, il est entré dedans avec délices : le protocole, les nominations. En même temps, il savait mettre une distance, comme d'ailleurs avec tout. Cela l'amusait. Cet aspect du pouvoir, le décorum, la révérence, c'est un peu grisant. Giscard aussi l'a éprouvé. Alors que Mendès était à cent lieues de toutes ces choses. C'était un homme simple. Il inspirait confiance parce qu'il disait la vérité. Il était démocrate et républicain. Ce n'est sûrement pas le meilleur moyen pour faire une carrière politique durable. Ce n'est pas comme ça qu'on reste quatorze ans au pouvoir, c'est sûr. Il pensait comme Zola : « C'est un crime d'égarer l'opinion. » Il nous répétait : « La France peut supporter la vérité. »

Pourquoi les gens de L'Express *l'appelaient-ils Augustin ?*

C'est Simon Nora qui l'avait baptisé ainsi, pour que son nom ne soit pas prononcé, quand nous parlions de lui, ensemble, dans un lieu public. Il avait choisi ce prénom à cause d'un roman intitulé *Augustin notre maître.* J'ai oublié le nom de son obscur auteur.

Comment se comportait-il dans le travail quotidien ? En

mars 1957, dans un article vous dites : « Il réserve à ceux qu'il aime sa tyrannie, ses sarcasmes, ses griefs et la remise en question permanente de leur loyauté. Qui le trahira avant le chant du coq ? » Vous parlez de lui comme l'Évangile de Jésus au mont des Oliviers.

Il était difficile, ironique, entêté. Rarement à l'heure, pas au point de Mitterrand dont l'inexactitude était pathologique. Pour qu'il fasse ce qu'on appelle de nos jours de la communication, c'était rude. Jean-Jacques qui en avait un sens très vif avait inventé de le faire parler tous les samedis à la radio, comme l'avait fait Roosevelt. Mendès avait une très belle voix, c'était superbe. La télévision était encore balbutiante et il n'était pas flatté par la caméra, appartenant à cette catégorie d'hommes infortunés qui ont toujours l'air d'être mal rasés.

À la radio, il emportait le morceau. Mais pour le décider, c'était tout un cirque. Léone Nora, la femme de Simon, qui travaillait avec nous et s'occupait plus particulièrement de lui, avait une patience d'ange. Pour finir, il se rangeait à ses arguments. Quand j'écris : « Qui le trahira avant le chant du coq ? », bien sûr, je ne le compare pas à Jésus, mais il était hanté par l'angoisse de savoir qui l'aimait. Il en avait besoin et n'en était jamais assuré. Je ne renie donc pas ce que j'écrivais en 1957.

On lui prête cette affirmation désabusée · « La politique, c'est une vie de forçat pour remplacer une ampoule. Rendement proche de zéro. »

Un déjeuner de la rédaction de *ELLE* en 1948. *(DR)*

Hélène Lazareff,
la fondatrice
du journal *ELLE*
en 1945 :
« Entre nous, ce fut
le coup de foudre »,
dit Françoise Giroud.
(DR)

Jean-Jacques Servan-Schreiber
et Françoise Giroud, le couple phare
de *L'Express* : « Il est l'homme le moins
misogyne que j'ai connu ».
(© Jacques Haillot/L'Express)

Françoise Giroud au téléphone,
dans son bureau en 1972.
(DR)

Françoise Giroud avec Roger Priouret,
l'éditorialiste économique de *L'Express*.
(© Manuel Bidermanas/L'Express)

Françoise Giroud à la maquette, un soir de bouclage à *L'Express*.
A ses côtés, le chef maquettiste, Philippe Grumbach, rédacteur en chef
et Roger Thérond, conseiller directorial. *(DR)*

Françoise Giroud, dans son bureau, rue de Berri, avec Claude Imbert, rédacteur en chef.
En 1971, il quittera *L'Express* avec six autres journalistes pour créer *Le Point*. *(DR)*

Pierre Mendès France corrigeant un de ses articles à la maquette de *L'Express*.
Le journal avait été créé pour défendre ses idées en mai 1953. *(DR)*

Jean-Jacques Servan-Schreiber, François Mauriac et Françoise Giroud. Pendant sept ans, il
donnera son bloc-notes à *L'Express*, journal dont il déclarait qu'il était son bain de jouvence.
(© L'Express)

Albert Camus à la maquette de *L'Express*. Il publiera 35 articles dans *L'Express* avant de garder le silence, meurtri par la guerre d'Algérie, sa terre natale. *(DR)*

Conférence de presse de Jean-Paul Sartre en 1976, avec Françoise Giroud, à l'époque, secrétaire d'état à la Culture dans le gouvernement de Raymond Barre. *(© Daniel Franck)*

Françoise Giroud, François Mitterand et Pierre Mendès France assistant aux obsèques des victimes de la manifestation de Charonne en février 1962. (© *Associated Press*)

Attentat de l'OAS au domicile de Françoise Giroud. Le même jour avaient été également
plastiqués les appartements de Sartre et de Hubert Beuve-Méry,
le patron du quotidien *Le Monde*. *(DR)*

Dans les bras de Françoise Giroud, le léopard mascotte de *L'Express* en 1956. *(© L'Express)*

L'image de Mendès est amusante. Cette phrase, tout homme qui a trempé dans la politique pourrait la prononcer. Giscard m'avait confié : « Si vous ne faites pas les réformes dans les deux premiers mois qui suivent votre arrivée au pouvoir, c'est fichu ! » Cela réduit la marge de manœuvre à peu de chose.

C'est l'aspect pervers de la politique. Elle a sa séduction puisqu'elle attire toujours des candidats... Mais il faut avouer que le recrutement est moins élevé. Crise de vocation, comme on le dit de l'Église. Aujourd'hui, un homme brillant de trente ans, qui a envie de « faire quelque chose », s'engage moins systématiquement dans la politique. C'est fini. Il entre chez Messier ou chez Pinault. Cela est un peu hors de notre sujet mais permet de comprendre la différence entre deux époques, l'une où l'on se défonçait pour Mendès, ou pour de Gaulle et l'autre à présent où la passion politique, l'idée que l'on peut changer le monde par la politique a disparu. Cette foi existe sans doute chez les Verts qui ressentent l'urgence de s'engager pour sauver l'environnement. Je ne sais pas s'il existe un journal « vert » comme *L'Express,* quand il soutenait les idées de Mendès.

À vos yeux, quelle était sa principale faille ? Et, pourquoi, ayant perdu le pouvoir au bout de neuf mois, en 1954, n'a-t-il pas tenté de le reconquérir par la suite ?

C'est difficile à faire comprendre. Pierre Mendès

France ne supportait pas de se sentir coupable. L'idée d'être responsable d'une erreur entamait son équilibre intérieur. Inconsciemment, il cherchait toujours à faire en sorte que la décision vienne d'un autre. On racontait qu'il avait une conduite d'échec. Ce qui est faux. Il voulait bien qu'on lui donne le pouvoir et alors, à partir de là, il avait toutes les audaces, tous les courages. Mais il était incapable de l'arracher à un autre. En 1956, lors d'un déjeuner chez Gaston Defferre avec Guy Mollet, il n'avait qu'une chose à déclarer : « Le prochain président du Conseil, c'est moi. » Il n'a rien dit, laissant la voie libre à Guy Mollet. Cet exemple illustre le mécanisme que je décris. Ce jour-là, Gaston Defferre m'a raconté que l'attitude de Mendès l'avait rendu enragé.

Autre petite faille, anecdotique celle-là, qui était due à son orgueil. Après le désastre de Diên Biên Phu, en 1953, le conflit s'enlisait en Indochine et Mendès avait envoyé un ultimatum aux Vietnamiens : « Je vous donne un mois pour que nous fassions la paix. Si ce n'est pas le cas, j'envoie le contingent français. » Ça a marché. Or, l'idée venait de Jean-Jacques. Un dimanche, à l'heure du déjeuner, j'étais chez moi avec ma mère, Jean-Jacques débarque, survolté, et dit : « J'ai une solution pour l'Indochine : il faut leur donner huit jours pour conclure la paix. » J'entends encore ma mère, qui l'aimait beaucoup, lui répondre : « Vous êtes toujours le même. Il faut leur laisser au moins un mois. » Ce qui tombait sous le sens. Bref, Jean-Jacques nous quitte : « Je file chez Mendès. » Il habitait la rue d'à côté. Plus tard, j'ai écrit l'histoire telle qu'elle s'était déroulée dans *Si je mens...* Quelqu'un a posé la question à Mendès pour vérifier si c'était vrai et il a répondu : « Je crois qu'elle va aller en enfer. » J'ai été choquée, non pas qu'il m'ait démentie mais parce que c'était moche à l'égard de Jean-Jacques. Cet ultimatum était un énorme enjeu et a eu un incroyable retentissement, Mendès en voulait la totalité du bénéfice. Par orgueil. Jean-Jacques a encaissé. De Mendès, il acceptait tout.

Au même titre que de Gaulle avec le gaullisme, Mendès ne supportait pas, paraît-il, d'entendre évoquer le mendésisme ?

C'est normal. Tous les deux repoussaient cette personnalisation « monarchique ».

Quand Jean Daniel écrit : « Mendès France, c'était Cassandre plus saint Sébastien : prophète, sauveur et martyr », quel commentaire cela vous inspire-t-il ?

C'est une belle formule, comme souvent sous la plume de Jean Daniel. Je ne suis pas d'accord quand il évoque Cassandre. Mendès voyait clair et juste en général.

Une fois, il parlait du progrès, j'avais cru bon de répliquer : « Le progrès, c'est l'autre nom du malheur. » Je le pense encore. Il existe un progrès technique mais pas un progrès humain. Il était furieux d'entendre ça, il m'a rabrouée. Lui qui se voulait le mentor de la modernisation française, j'avais blessé sa foi républicaine, scientiste d'homme du XIXᵉ siècle.

Raymond Barre a dit une fois : « Vous savez que j'ai toujours eu une grande nostalgie que le général de Gaulle et Pierre Mendès France aient ensemble conduit les affaires de la France. » Vous en avait-il fait part lorsque vous étiez secrétaire d'État de son gouvernement ? Quel attelage auraient formé ces deux personnalités ?

Raymond Barre n'a jamais évoqué ce sujet avec moi. Beaucoup de personnes ont regretté que PMF et de Gaulle n'aient pas travaillé ensemble. Il a refusé, en 1946, de prendre le ministère des Finances que de Gaulle lui proposait et, en 1958, il a refusé de le rencontrer. Pour Mendès, c'était un coup d'État militaire. Il ne pouvait y souscrire. Mais il a profondément respecté le de Gaulle de 1940 et s'est d'ailleurs engagé dans l'aviation pendant la guerre.

Il avait un courage moral et un courage physique qui ont ponctué toute sa vie politique. Il en a manqué une seule fois, en ne soutenant pas, au Parlement, la CDE, la Communauté européenne de défense. Il a hésité, mais tout le reste, la paix en Indochine, l'accord avec la Tunisie... le Maroc.

Ensuite, avec l'Algérie et le retour de De Gaulle aux affaires, il s'est de lui-même éloigné du pouvoir.

Pendant toute cette période, des gens ont essayé de l'abattre en France, de l'abattre physiquement. Informé, il refusait de se protéger d'un gilet pare-balles.

Un jour, un homme jeune s'est présenté chez moi, c'était à l'époque des troubles au Maroc. Cet homme m'a dit : « Je cherche Mendès, j'ai ordre de le tuer. » J'ai essayé de prendre cette charmante nouvelle avec sang-froid, de le faire parler. Il m'a avoué qu'il était chargé de cette mission mais qu'il ne savait pas où trouver sa cible et surtout qu'il n'avait pas vraiment envie d'exécuter cet ordre mais qu'il aurait voulu l'entendre. Bref, il voulait le voir et, par mon intermédiaire, il lui conseillait vivement d'accepter. Sinon, il finirait bien par le trouver. Que faire ? Cet individu était visiblement exalté. Il m'a confirmé qu'il m'attendrait au métro Étoile pour que je lui communique le lieu et l'heure de sa rencontre avec Mendès. Il est sorti de chez moi, je n'en menais pas large. J'ai prévenu Mendès qui m'a répondu : « C'est du chantage, on ne cède jamais au chantage, jamais, vous m'entendez ? Proposez-lui de l'argent, ces gens-là sont des mercenaires. »

Au métro Étoile, j'ai retrouvé mon zèbre et je lui ai dit le plus calmement possible que Pierre Mendès France ne pouvait pas le recevoir mais que s'il revenait dans quinze jours, peut-être... J'ai vu qu'il était déstabilisé, alors je lui ai demandé : « Où et comment vivez-vous à Paris ? À l'hôtel ? Avez-vous de quoi le payer ? Puis-je vous aider ? » Et je lui ai glissé discrètement dans la main une liasse de billets, en pensant : « Il va me gifler. » Mais il l'a prise et a disparu. La phrase de Mendès : « On ne cède jamais au chantage, jamais » est restée gravée dans mon esprit. Il ne cédait jamais devant rien, ni personne.

Quelle fut sa réaction lorsqu'il a appris que vous aviez accepté un poste ministériel dans un gouvernement de droite, en 1974 ?

Je ne l'ai pas vu dans l'immédiat, mais je l'ai rencontré à l'ambassade d'Angleterre où se célébrait, selon la coutume, l'anniversaire de la reine. Il m'a dit : « Qu'est-ce qui vous a pris ? » Je lui ai donné une réponse concernant ma vie privée. Il a grommelé. Et voilà. Quand je l'ai revu à d'autres occasions, il a été le même Mendès, affectueux et bourru.

François Mitterrand avait proposé le transfert de ses cendres au Panthéon. Sa famille a refusé. Pourquoi ?

Marie-Claire Mendès France a, je crois, refusé parce qu'il n'était pas seul à être transféré. Elle a répondu ou fait répondre à Mitterrand que Pierre Mendès France méritait une cérémonie pour lui tout seul et non en un tir groupé, si je puis dire.

6

FRANÇOIS MAURIAC

« Ils croient se mettre à la portée de leurs lecteurs ;
mais il ne faut jamais supposer à ceux qui vous lisent
des facultés inférieures aux nôtres ; il convient
mieux d'exprimer ses pensées telles qu'on les a
conçues. On ne doit pas se mettre au niveau du plus
grand nombre, mais tendre au plus haut terme de
perfection possible : le jugement du public est toujours, à la fin, celui des hommes les plus distingués
de la nation. »

Germaine de Staël.

FRANÇOISE GIROUD. Cette réflexion de Mme de
Staël est très intéressante. Elle était juste quand elle
l'a écrite, c'est-à-dire quand ce qu'on appelait le
public était moins vaste qu'aujourd'hui. Moins de
dix mille personnes.

La notion de « public » a changé. Un énorme succès de librairie se situe autour de trois cent mille exemplaires, un énorme succès cinématographique entre deux et trois millions de spectateurs, et un seul point de télévision, qui est la mesure-étalon de l'audience, correspond à quatre cent mille personnes. Un point !

Nul ne peut affirmer maintenant que le jugement du public est toujours à la fin celui des hommes les plus distingués de la nation, ce que nous nommons désormais l'élite. Ce qui reste vrai et que l'on doit soutenir avec Mme de Staël, c'est « qu'il ne faut jamais supposer à ceux qui vous lisent des facultés inférieures aux nôtres [... qu']on ne doit pas se mettre au niveau du plus grand nombre, mais tendre au plus haut terme de perfection »... Le succès, c'est une autre affaire, dont personne ne connaît la recette. Il ne faut pas non plus confondre la notion de succès qui est volatile avec celle de réussite qui sous-entend la durée.

MARTINE DE RABAUDY. *Lorsque, en novembre 1953, vous vous « offrez » la signature de François Mauriac, vous faites, par la même occasion, un magnifique cadeau aux lecteurs de* L'Express. *Comment le plus brillant polémiste de son temps, prix Nobel de littérature, académicien français, atterrit-il dans ce journal débutant ?*

Lorsque François Mauriac atterrit à *L'Express,* il avait soixante-huit ans et il écrivait tous les mardis dans *Le Figaro*. Ses positions au sujet de la déposition du Sultan et plus généralement de la situation au Maroc étaient de semaine en semaine plus difficiles à accepter par les lecteurs conservateurs du quotidien. Pierre Brisson, le directeur, devenait très nerveux.

Un mardi, pas de Mauriac. Un autre mardi, pas de Mauriac. Je flaire la crise et suggère à Jean-Jacques d'aller proposer la tribune de *L'Express* à Mauriac. Le journal est encore tout jeune mais le charme de Jean-Jacques a opéré : il a accepté. Et il en a été heureux. J'ai souvent raconté comment, arrivant des somptueux bureaux du *Figaro* aux deux pièces que nous occupions aux Champs-Élysées, il s'écriait : « Je viens voir ma jeune maîtresse... »

Cette jeune maîtresse, *L'Express,* lui a donné bien du plaisir, et ce fut réciproque, ô combien !

Ses cinq cents *Bloc-notes* peuvent se lire et se relire aujourd'hui. Ils défient le temps. Cette collaboration l'a galvanisé. Il disait drôlement en parlant de lui : « Je suis une vieille locomotive mais qui marche encore, qui traîne des wagons, qui peut siffler, et il m'arrive de temps en temps d'écraser quelqu'un. L'horreur de la vieillesse, c'est de ne plus servir à rien. Le journalisme me donne le sentiment de pouvoir servir les idées qui me sont chères, de servir la foi, et de défendre mes amis. »

Il se définissait comme un « journaliste écrivain », cet animal bizarre, disait-il. C'était un journaliste-ne dont la force fut de ne jamais considérer le journalisme comme un genre mineur auquel l'écrivain donne ses rogatons, mais comme un genre noble, exigeant autant de soins, autant d'efforts, autant d'attention pour dix lignes que pour cent.

Angelo Rinaldi va jusqu'à le comparer à Saint-Simon : « La vieille corneille élégiaque, comme le nommait un de ses adversaires communistes depuis longtemps balayé par une purge, reprit son envol et gagna la hauteur où elle plane vraiment et lisse sa plume : au milieu de l'escadrille des pamphlétaires teigneux, des grands rapaces qui fondent sur le siècle et ses acteurs pour élargir du bec leurs blessures À la manière de Saint-Simon. »

Rinaldi, le contempteur, est pris ici en flagrant délit d'admiration. Quand il porte un écrivain, il le fait, lui aussi, à une hauteur et dans un style que peu atteignent. Le Saint-Simon de notre époque, Mauriac l'aura été un temps.

Sartre écrit de Mauriac que sa dévotion pour de Gaulle a dévitalisé son don de polémiste : « Dans les milieux où j'étais, on lui a reproché sa position gaulliste. On lisait un article gaulliste de Mauriac : ça n'amusait plus. Ce qui intéressait, c'était Mauriac lui-même sans qu'il obéît à des principes gaullistes. C'était avant. » Combien d'années L'Express *a-t-il profité de cet « avant » ?*

Les *Bloc-notes* de *L'Express* qui constituent cet « avant » dont parle Sartre se situent entre 1954 et

1959. Il faut préciser que, malgré leurs coups de patte, Sartre et Mauriac se portaient une estime mutuelle. Ce qui n'empêcha pas Sartre d'éreinter Mauriac en écrivant : « Dieu n'est pas un artiste. M. Mauriac non plus. » Mauriac avait affirmé, en 1939 : « Le romancier est de tous les hommes celui qui ressemble le plus à Dieu », ce qui avait eu le don d'irriter Sartre. Toutes les blessures, avec le temps, finissent par se refermer. Mauriac a souvent évoqué Sartre dans son *Bloc-notes,* sans acrimonie, bien que certaines de ses postures politiques le hérissassent. S'amusant, Mauriac avait traité Sartre de « dernier abbé de Saint-Germain-des-Prés ». Ils aimaient bien se titiller. Mais Sartre respectait le courage de Mauriac. Il admirait la force de caractère qui l'avait conduit à des prises de position révolutionnaires pour son milieu, la bourgeoisie bordelaise. Mauriac m'avait dit une fois cette chose savoureuse : « Les communistes ne savent rien des bourgeois. Ah ! si nous faisions *L'Humanité,* quels dégâts nous ferions, vous et moi ! » Jacques Chardonne, écrivain bourgeois, dans une de ses lettres à Roger Nimier, l'avait compris : « Mauriac met le feu à tout ce qu'il touche. » Voilà le Mauriac que j'aimais, ce vieillard couvert d'honneurs, prêt à tous les assauts, à tout remettre en cause. Vous n'imaginez pas la violence des attaques qu'il a endurées. Le venin qu'on lui a craché. Marcel Arland, un des écrivains de la *NRF,* l'avait surnommé avec perfidie : « L'attraction de *L'Express* ».

Et cet « avant » de Mauriac dont parle Sartre reste les plus étincelantes pépites de *L'Express*. Le cliché ancré dans les esprits, c'est le Mauriac, comment dire... transformé en vestale du général de Gaulle et qui a tendance à gommer cet « avant », celui du soutien à Mendès, du secours à François Mitterrand, quand abandonné de tous, après l'attentat de l'Observatoire, il était l'homme politique le plus détesté du pays, « son honneur jeté aux chiens », pour reprendre ce qu'a dit tant d'années après Mitterrand lui-même, aux funérailles de Pierre Bérégovoy. Il savait de quoi il parlait. François Mauriac est monté au créneau, le 30 octobre 1959 : « Mitterrand aura payé cher d'avoir été moins fort que ses ennemis eux-mêmes n'avaient cru. Et moi, je lui sais gré de sa faiblesse : elle témoigne qu'il appartient à une autre espèce que ceux qui l'ont fait trébucher et qui, sans doute, avaient deviné cette faille secrète... » Suivent trois paragraphes fulgurants.

Au moment de cette « affaire des fuites », je me souviens que François Mitterrand est venu chez moi, et là j'ai vu celui que Mauriac décrivait comme « un matador de grande classe », cet homme blindé, rompu à toutes les manœuvres, désemparé, au bord des larmes. Il sentait la terre s'ouvrir sous ses pieds.

Premier à percevoir chez Mitterrand ce que tout le monde répétera par la suite, Mauriac notait dans *L'Express,* en 1954 : « C'est un garçon romanesque. Je veux dire un personnage de roman. »

Mauriac et Mitterrand, au tout début de *L'Express,*

100

se rencontraient dans les réunions de travail que nous avions. Ils ont fait partie ensemble du groupe France-Maghreb. Ils se voyaient régulièrement chez l'avocat Georges Izard. Après sa mort, François Mitterrand a écrit, très justement, évoquant Mauriac, qu'il manquait quelque chose dans le paysage français.

La légende veut que Mauriac, grâce à son Bloc-notes *dans* L'Express, *avait fait voter un million de catholiques pour Mendès France. Confirmez-vous ?*

Il est difficile de connaître le chiffre exact. Il est certain que *L'Express* devait compter un certain nombre de lecteurs catholiques, comme d'ailleurs d'autres confessions. François Mauriac, étiqueté écrivain catholique, a pu influencer cette catégorie du lectorat.

Il donnait cette définition de sa mission de journaliste : « Mon rôle à moi est de déranger l'interprétation officielle des événements. »

C'est une parfaite définition de l'éditorialiste qui décrypte le discours officiel. D'où l'agacement qu'il inspire aux politiciens. Ils le redoutent comme un détecteur de mensonges. Un bon éditorialiste indique au lecteur : Untel vous dit « ça », cela veut dire « ça ». En général, le parcours entre les deux « ça » couvre la distance qui sépare le mensonge, la dissimulation de la vérité et de la réalité.

À qui, de Jean-Jacques ou de vous, donnait-il, en premier, son Bloc-notes à relire ?

Un coursier allait chercher chez lui, 38, avenue Théophile-Gautier, l'enveloppe où il avait glissé ses feuillets. Généralement, c'est moi qu'il appelait une heure après pour me recommander : « Françoise, faites bien attention à la place des virgules à la ligne tant... » Il était très pointilleux sur la ponctuation. Il avait raison. Il avait un calibrage et il s'y tenait. Je n'ai jamais eu un mot à retirer.

Vous avez dit que François Mauriac était l'homme qui, dans toute votre vie, vous avait le plus fait rire.

Cela reste vrai encore aujourd'hui. Personne ne l'a détrôné. Il me revient en mémoire une scène cocasse. Nous sortions d'un déjeuner avec François Mauriac et Robert Schuman, l'inventeur de l'Europe, et je propose de les raccompagner. Je conduisais à ce moment-là une voiture américaine décapotable et comme il faisait beau ce jour-là, la capote était baissée. Toute ma vie, je me souviendrai de cette descente des Champs-Élysées, moi au volant et ces deux messieurs d'un âge respectable, tenant fermement à deux mains leurs chapeaux. Ils s'amusaient comme des enfants sur un manège.

Les déjeuners de *L'Express,* à partir d'une certaine date, étaient réputés parmi les brillants « cerveaux » de l'époque qui s'y retrouvaient. Je ne peux pas dire qu'ils étaient un rendez-vous gastronomique. La qualité de la chère n'était pas, et de loin, à la hauteur des conversations ! Un restaurateur du quartier nous livrait des plateaux façon transports aériens... disons austères, pour ne pas exagérer. Mais n'importe, c'était le style maison... Mauriac y participait de temps en temps et y brillait. Mais il lui arrivait aussi de nous inviter chez lui, ou de venir dîner chez l'un de nous... Nous étions très proches. Il était très gourmand, avait bel appétit, adorait les huîtres et le vin blanc et nous expliquait que depuis qu'il était plus âgé, il se sentait plus jeune et plus robuste qu'au temps de sa jeunesse souffreteuse où il était souvent malade. C'est à sa silhouette fragile, à sa « voix blessée » comme il l'appelait, que, prétendait-il, il avait dû son élection à l'Académie française en 1932, plus qu'à l'importance de son œuvre... : « Ils se sont dit : il n'en a plus pour longtemps, on ne court pas grands risques... Ma récente maladie me disposait particulièrement à l'attention de l'Académie. » Il était d'une féroce drôlerie. Les mots sortaient de sa bouche comme des lézards.

Comment sa férocité faisait-elle bon ménage avec son âme chrétienne ?

Sa réponse, à laquelle je souscris, était que la gentillesse se compose de prudence et d'indifférence. Être bien avec tout le monde, c'est, d'une certaine façon, n'aimer personne, ne prendre parti contre rien ni pour rien.

Un ami de Mauriac, journaliste au Figaro, *avait décrit ainsi la relation qui liait François Mauriac et JJSS : « Il est devant JJSS comme hypnotisé. Il observe ce jeune fauve et tremble à la fois d'admiration et de crainte, subissant ce délicieux frisson de la proie qui s'attend à être dévorée. Je crois que du côté de JJSS, l'admiration pour ce jeune grand vieillard est réelle. Mais Mauriac est aussi pour* L'Express *une référence irremplaçable. » Qu'en pensez-vous ?*

Ce que vous citez est très juste. Mauriac était hypnotisé et Jean-Jacques fasciné. Ce qui n'empêcha pas Mauriac de lui décocher cette flèche : « Ce jeune homme à l'ignorance encyclopédique. » C'était cruel, mais pas faux. Jean-Jacques était polytechnicien. Dans l'univers des mathématiques et, plus généralement, des techniques, il était bon. Mais il ne connaissait rien à la littérature, aux arts en général, ni même à l'histoire. Ce qui s'appelle rien.

Il était rapide, comprenait tout, était même visionnaire. Giscard a eu ce mot extraordinaire en parlant de lui : « Il a une case en trop. » Ce qui était également vrai.

À quel moment situez-vous les premières dissonances entre Mauriac et L'Express ?

À partir de 1959, je vous le disais, Mauriac s'est progressivement écarté de la ligne du journal qui affichait son opposition au général de Gaulle. Pourtant, Mauriac, comme nous, avait été choqué par les

104

conditions de son retour au pouvoir. Nous étions ensemble à la première conférence de presse de De Gaulle, il en était sorti troublé et partageait le même rejet que Mendès France. Mais il a évolué. Dès le mois d'août 1959, on peut lire son désaccord avec JJSS et l'ensemble de la rédaction : « Il me déplaît beaucoup de ne pas être d'accord avec mes amis de *L'Express*. Je ravale pourtant le plus que je peux ce que j'aurais envie de leur répondre. » De la fissure à la rupture, deux années vont se passer. Un vrai feuilleton. Le *Bloc-notes* devenait au fur et à mesure des semaines le contre-éditorial de Jean-Jacques.

Ajoutées aux divergences politiques, il y eut les provocations du dessinateur Siné qui publiait des caricatures anticléricales offensantes pour la foi de François Mauriac.

Siné, je l'ai revu il y a quelques mois dans une émission de Bernard Pivot. À plus de soixante-dix ans, il est toujours cet anarchiste déchaîné qu'il était à l'époque où il dessinait dans *L'Express*. Déchaîné il est né, déchaîné il mourra.

François Mauriac paraît sidéré de constater la haine que Siné lui voue en prenant connaissance d'une déclaration du caricaturiste en 1960. Il lui rétorque : « Ah ! Siné qui écrivez cette semaine dans Arts *: "Je déteste de plus en plus Mauriac. Si j'étais la cause de son départ de* L'Express, *je serais ravi..." Moi, qui ne vous déteste pas et admire votre talent, comprenez-moi, comprenez-nous : nous ne* *vous reprochons pas d'être anticlérical. Un chrétien fervent a plus que vous des raisons de l'être, car il souffre plus que vous de ce qui vous irrite. »*

Par sa réplique, Mauriac marque un point, en maître. Personne ne pouvait s'aventurer à jouer avec les mots face à lui.

Siné n'a pas été comme il aimerait le croire le responsable du départ de François Mauriac. Jean-Jacques et lui, à l'intérieur même des pages du journal, se sont tour à tour expliqués sur les raisons de cette rupture. En lieu et place du *Bloc-notes* interrompu, Jean-Jacques écrivait, le 20 avril 1961, un article titré : *Adieu à François Mauriac,* dans lequel on lit cette conclusion : « François Mauriac aime de Gaulle comme les Anglais aiment leur reine Elisabeth ; comme un roi. Mais pour nous de Gaulle est un homme politique et l'amour n'est pas le problème. Parce que journaliste, sans quartier de noblesse, j'ai osé exprimer – vivement – je l'admets et alors ? un exposé sur le chef de l'Exécutif, François Mauriac, de toute la force de son prestige, porte un coup à *L'Express* et à son équipe et abandonne son combat et ses lecteurs pour se présenter à Langon au président de la République, vierge de toute attache avec un journal qui le traite seulement en homme politique. » En effet, Mauriac devait rencontrer le général dans cette province la semaine où l'éditorial de *L'Express* l'accusait d'avoir dans sa dernière conférence de presse sur l'Algérie procédé à

« des marchandages »... « De Gaulle a parlé comme un marchand de tapis », écrivait Jean-Jacques. C'en était trop pour lui. Si cette rupture lui fut douloureuse et marqua un virage dans sa vie, elle nous attristait. Cependant, jamais entre lui et nous elle ne fut une rupture d'amitié.

Le dernier entretien que Mauriac accordera à un journal sera pour *L'Express* en mai 1970. À Georges Suffert, il confie ses réflexions sur la vieillesse et la mort, sur la vie et le destin « tendant au plus haut terme de perfection possible », comme le dit Mme de Staël en tête de ce chapitre.

Le 14 avril 1961, paraît l'ultime Bloc-notes *de François Mauriac. Quelles seront les réactions des lecteurs de* L'Express ?

Quelques lettres de regrets, trois désabonnements, pas un frémissement dans les ventes du journal, ni au *Figaro* où il est retourné écrire des articles littéraires, des articles d'académicien, excellents. Le polémiste n'avait plus raison d'être. Il avait cessé d'être un combattant politique, ce qui lui plaisait le plus. En 1935, déjà, il notait : « Faire de la politique, c'est croire que tout peut être sauvé. »

Moi, je savais que son départ ne changerait rien à la marche du journal. Lui, pourtant, si populaire, si aimé des lecteurs auxquels il le rendait bien quand il déclarait : « Ce que *L'Express* a de mieux, ce sont ses lecteurs », lui qui demeure le plus brillant des collaborateurs de toute l'histoire de ce journal, il n'a rien perturbé en le quittant. Je le répète souvent, cela doit rendre modestes ceux qui exercent ce métier, à quelque niveau de notoriété que ce soit. Les lecteurs sont attachés non à des signatures mais à un titre. Ce qui explique la survie de *L'Express* à travers ses multiples aventures. C'est une loi.

Diriez-vous de François Mauriac à L'Express *ce que plusieurs générations déclarèrent à la mort de Sartre : « Il était notre jeune homme »* ?

Très facilement. « Il était notre jeune homme ! »

7

JEAN-PAUL SARTRE

« Il faut rendre à Sartre cet hommage qu'il transformait la rencontre en cérémonie divertissante. Sa conversation avait la vertu supposée de ces plantes que l'on recommande aux grands nerveux, elle rendait euphorique. »

Bernard Frank.

FRANÇOISE GIROUD. Comparer Sartre à un remède, c'est une idée qui ne me serait pas venue. Mais Frank est plein d'originalité, y compris quand il affirme que Sartre rendait euphorique.

MARTINE DE RABAUDY. *À quelle occasion l'avez-vous connu ?*

Notre toute première rencontre a été pittoresque.

Il était au Festival de Cannes, en 1947. Il avait fait ce déplacement pour le lancement d'un film dont il était l'auteur et dont j'ai oublié le titre. Bon bougre, comme toujours, il se pliait à toutes les exigences de sa productrice. On lui avait même loué un smoking. Nous assistions à une soirée de gala, au casino. L'orchestre, à un moment, attaque un tango et Sartre, perplexe, me demande : « Vous savez danser ça ? » Je réponds :

« Oui, enfin un peu. » « Alors, courage, on y va. » Je peux vous assurer qu'on a rarement vu un tango dansé de cette manière sur la piste du casino de Cannes.

On a toujours dit, et lui-même le confirmait, qu'il privilégiait la compagnie des femmes à celle des hommes : « Je préfère parler avec une femme des plus petites choses que philosopher avec Aron », rapporte Annie Cohen-Solal dans la biographie qu'elle lui consacre et Bernard Frank, encore lui, dit qu'il s'amusait du « babil de Sagan ».

Françoise Sagan l'aimait beaucoup. À la fin de sa vie, il était devenu aveugle, elle allait le chercher, l'emmenait dîner au restaurant, lui coupait sa viande et le faisait rire. Elle le raconte très joliment dans *Avec mon meilleur souvenir*.

Tout au long de son existence, Sartre a courtisé les femmes et malgré une certaine disgrâce physique, il les séduisait. Dans un entretien avec Simone de Beauvoir, qu'elle publia après sa mort, il

110

explique avec une fraîcheur et un naturel confondants la raison qui le poussait à se montrer avec de jolies femmes parce que, disait-il : « Un homme laid et une femme laide, le résultat est un peu trop... un peu trop remarqué. Alors, je voulais une espèce d'équilibre, moi représentant la laideur auprès de femmes qui étaient sinon la beauté, du moins le charme et la joliesse. »

Je ne dirai pas qu'il s'agissait d'amitié entre lui et moi. Je le connaissais assez bien, voilà tout. Dans les années 1950-1960, il donnait ses articles à *L'Express* et nous en étions heureux, naturellement.

Un des articles les plus marquants fut celui paru dans le numéro du 9 novembre 1956, après l'entrée des chars russes dans Budapest. François Erval, chargé des pages littéraires de *L'Express,* qui était hongrois, bondit chez Sartre qu'il connaissait très bien. Il était bouleversé, Sartre aussi. Il y avait de quoi et Sartre écrit un très beau texte, *Après Budapest.* L'Armée rouge avait tiré sur le peuple hongrois, Sartre dénonce cette tragédie : « Et le crime, pour moi, ce n'est pas seulement l'attaque de Budapest par les blindés, c'est qu'elle ait été rendue possible et peut-être nécessaire (du point de vue soviétique évidemment) par douze ans de terreur et d'imbécillité. » Tout au long de ces quatre pages, Sartre clame et analyse son indignation.

Un tel article, avec la violence de ses dénonciations et la force de son engagement, a dû « secouer » les milieux intellectuels français ?

111

Incontestablement. Je ne veux pas revenir sur les détails du texte, mais en deux mots : cette condamnation sans appel de l'agression communiste, il parle de « crime », est aussi une dénonciation définitive des cadres dirigeants du PCF totalement inféodés au gouvernement soviétique. Il ne s'en cache pas, il l'écrit noir sur blanc. Du côté de la SFIO, il manifeste la même sévérité, cette gauche socialiste qui certes condamne l'écrasement de Budapest mais se tait sur la torture en Algérie. Pour Sartre, la gauche française se meurt, Budapest et l'Algérie la condamnent : « Les communistes sont déshonorés, les socialistes se plongent dans la boue. » Pour lui, le salut ne peut venir que de ce qu'il nomme « la nouvelle gauche », celle capable de regrouper les minorités communistes et socialistes sincères, honnêtes et désorientées mais aptes, Sartre y croit, à dégager et à imposer les principes d'une politique de gauche profondément rénovée.

C'est un Sartre violent, engagé, utopiste ont dit certains. Un Sartre dérangeant, surtout dans les rangs des dirigeants du parti communiste qui le nommaient à l'époque « le chacal ».

Comment faisiez-vous pour publier ses textes fleuves ? Exigeait-il qu'on les passe dans leur intégralité ?

Il n'exigeait rien du tout. Il disait : « Si c'est trop long, donnez-le à Simone de Beauvoir, elle coupera. » Quand nous lui demandions un article, cela concernait en général un événement d'une importance suffisante pour lui donner de la place. Comme nous en donnions à Merleau-Ponty, Camus ou Malraux. Mais il est vrai que Sartre était particulièrement long.

Au moment de Mai 68, quand il est venu à la Sorbonne parler aux étudiants, un papier a été collé sous son micro où il pouvait lire : « Sois bref, Sartre. »

Sartre, comme François Mauriac, respectait le journalisme. Dans un numéro des Temps modernes, *daté du 1er octobre 1945, il écrit : « Il nous paraît en effet que le reportage fait partie des genres littéraires et qu'il peut devenir un des plus importants d'entre eux. »*

C'est un genre qu'il aimait et pratiquait. En 1960, Pierre Lazareff l'avait envoyé à Cuba pour *France-Soir,* il en rapporta une série d'articles favorables au régime de Fidel Castro. Ce qui était un défi lancé à Lazareff. Beau joueur, Pierre les publia *in extenso.*

Quand Sartre écrit dans Les Mots : *« J'ai souvent pensé contre moi-même », croyez-vous que c'est une façon de se dédouaner des erreurs qui lui furent reprochées ?*

Pourquoi ne pas reconnaître qu'il est arrivé à Sartre de dire n'importe quoi ? Par exemple, en 1954, retour d'URSS : « C'est le pays où il y a le plus de liberté... » Ce qui avait fait écrire à Mauriac dans son *Bloc-notes* ce mot terrible : « Sartre est inoffensif. » Pire : à propos du rapport Khrouchtchev, en 1956, qui dénonçait « le règne de la répression et de l'arbitraire », Sartre a protesté en déclarant dans *L'Express* qu'on ne pouvait pas dire la vérité à des masses qui n'étaient pas mûres pour la recevoir. Cette énormité donne son sens au mot de Mauriac. Vingt ans plus tard, il reconnaîtra à propos du régime soviétique, dans des entretiens avec le maoïste Benny Lévy : « C'est vrai que j'en pensais du bien mais moins que tu ne le penses mais surtout je me défendais d'en penser du mal. »

Pourquoi Mauriac s'exclame-t-il, dans un numéro de L'Express *qui porte ce titre en couverture : « Ô Sartre, pourquoi êtes-vous donc si triste ? »*

En pleine guerre froide, Sartre soutenait que l'installation de missiles soviétiques à Cuba était un fantasme de la presse occidentale. Quand la preuve du contraire fut démontrée, Mauriac moucha Sartre. C'était cruel, comme il savait l'être, mais de bonne guerre. Sartre ne lui a d'ailleurs jamais répondu.

Que vous inspire la célèbre formule : « Mieux vaut avoir tort avec Sartre que raison avec Aron » ?

C'est un bon mot qui exprime quelque chose de profond. On carbure à la raison ou aux sentiments. L'homme ne vit pas seulement de raison... Aron, ça a toujours été la sèche raison.

Mais franchement, je n'aime pas cette manière d'utiliser Sartre, ou Merleau-Ponty ou Camus ou Aron pour se prouver sa propre intelligence politique et afficher que l'on n'est pas tombé dans les mêmes panneaux que ces intellectuels crédules et donneurs de leçons...

Quand on ne bouge pas, on ne risque pas de faire des erreurs. On vieillit bien tranquille dans son coin.

Ces hommes dont nous parlons n'étaient pas tranquilles. Ils ne supportaient pas le monde comme il va, ils avaient du courage, ils ont pris des risques, cela n'excuse pas leurs erreurs d'analyse et, s'agissant de Sartre, le naufrage intellectuel où il a entraîné quasiment une génération. Mais au-delà de cette folie qu'il avait, car c'était pure folie, au-delà de cette haine meurtrière de la bourgeoisie dont il se nourrissait, il y avait un homme honorable.

Comment vous entendiez-vous avec Simone de Beauvoir ? L'aviez-vous fait écrire dans Elle, *au moment de la publication du* Deuxième Sexe *?*

Curieusement, je n'ai jamais rencontré Simone de Beauvoir. Je n'ai rien fait pour, comme on dit. Une chose chez elle me déplaisait, c'était sa voix. Je suis excessivement sensible aux voix.

Qu'avez-vous à dire sur le couple Sartre-Simone de Beauvoir ?

Que c'était un couple, un vrai. Avec leurs amours

contingentes dont ils ne cachaient rien, ni à eux, ni aux autres, ils ne pouvaient se passer l'un de l'autre. Leur complicité et leur complémentarité étaient totales. Dans le travail avant tout. Chacun relisait ce que l'autre écrivait. Lui, en fait, n'avait confiance qu'en son jugement. Il lui soumettait tout. Elle corrigeait, approuvait ou critiquait et il s'y pliait. C'est une chance formidable pour un écrivain d'avoir ce regard extérieur qui vous suit toute une vie. De toute façon, Sartre aurait écrit avec elle, comme sans elle mais elle lui a certainement donné de l'énergie, de la confiance. Il l'a dit quelque part : « J'ai des doutes uniquement quand j'écris et qu'elle n'est pas là... Elle sent beaucoup de choses pour moi. » Malgré leurs liaisons parallèles, jamais aucune n'a fondamentalement remis en cause leur union. Maintenant, aller jusqu'à croire que chacun vivait cette situation-là aussi bien qu'ils l'affirmaient, c'est moins certain. Il suffit de les lire, de la lire surtout.

Après la mort de Sartre, Simone de Beauvoir publie La Cérémonie des adieux, *qui décrit crûment son déclin et son agonie. Beaucoup dans l'entourage de Sartre furent choqués. Françoise Sagan, particulièrement. Qu'avez-vous pensé de cette épreuve de vérité ?*

Il est toujours beau d'écrire au plus près de sa vérité et la relation qui les avait unis si longtemps et avec tant de force lui permettait d'écrire ces mots. Cela ne me choque pas. Mais je comprends la réaction de Françoise Sagan, qui est pudique.

En conclusion, que gardez-vous de Sartre ?

De son œuvre, *Les Mots* et pourtant je ne suis pas sûre que ce soit son ouvrage le plus important. Je ne sais pas ce qui restera de Sartre et je ne me sens pas compétente pour juger et ratiociner sur Husserl et Heidegger. Ce qui me reste de l'homme Sartre, c'est sa fabuleuse force vitale, et finalement une totale indifférence aux autres. Totale, que dissimulaient sa courtoisie et sa générosité en matière d'argent. Une phrase de lui, après sa brouille avec Camus, m'a confortée dans cette conviction, lorsqu'il dit : « Une brouille, ce n'est rien – dût-on ne jamais se revoir – tout juste une autre manière de vivre ensemble... » Les autres, Sartre n'a rien à en faire.

8

ALBERT CAMUS

« Avoir gloire et jeunesse, c'est trop pour un mortel. »
Arthur Schopenhauer.

FRANÇOISE GIROUD. La mort est toujours dans le quartier, même quand on a gloire et jeunesse.

MARTINE DE RABAUDY. *Est-ce pendant la guerre, à Lyon, que vous avez connu Albert Camus, lorsqu'il était secrétaire de rédaction à* Paris-Soir ?

Non, quand je suis arrivée à *Paris-Soir,* il n'y était plus. Il était tuberculeux... Il se soignait à la montagne. Je l'ai connu à Paris, au moment où il était, je crois, lecteur chez Gallimard et écrivait des éditoriaux dans *Combat,* le journal que dirigeait son ami de toujours Pascal Pia. Il était un écrivain connu, il avait publié *L'Étranger* et *Le Mythe de Sisyphe.*

Pour quelle raison subit-il les sarcasmes de France-Observateur *lorsque, en 1956, il entre à* L'Express ?

France-Observateur était un journal très sectaire. La venue à *L'Express* de Camus déplut à Claude Bourdet, compagnon de route des communistes. Quelques lignes, anonymes, m'attaquaient directement. « M. Albert Camus, qui doit pourtant avoir une autre idée de la presse que Mme Françoise Giroud, va donner une chronique littéraire à *L'Express*. » Camus adressa une réponse immédiate à ce journaliste qui avait « oublié » sa signature, dans laquelle il précisait : « Mme Françoise Giroud à qui vous essayez de m'opposer... Je n'ai aucun mal à approuver sa conception de la presse et je me sens tout à fait autorisé à collaborer à ce journal, avec la totale liberté qu'il veut bien m'accorder. En revanche et pour des raisons inverses, je n'aurais pu collaborer à *France-Observateur*. Je n'ai pas, en effet, les mêmes idées que ses dirigeants sur le rôle et l'objectivité d'un hebdomadaire d'opinion. » Et, à moi, il dit : « Ne vous laissez pas intimider, ce sont des chiens. » Plus tard, Maurice Nadeau, critique littéraire, merveilleux éditeur et trotskiste invétéré, m'avouera qu'il avait été l'auteur de ces lignes bêtes. Je lui ai bien entendu pardonné et je l'ai engagé à *L'Express* où il est resté longtemps.

Qui avait eu l'idée de demander à Camus de collaborer à L'Express ?

C'est Jean Daniel. Jean adorait et admirait Camus. Tous deux étaient nés en Algérie. Camus et JJSS avaient peu d'affinités. Pour Camus, le Méditerranéen, Jean-Jacques était trop américanisé. Jean Daniel l'écrit dans un de ses livres, la période d'euphorie entre Jean-Jacques et Camus fut de courte durée. Leurs tempéraments étaient antinomiques mais ils étaient tous les deux beaux et séducteurs. Camus, parti pour l'Amérique, avait écrit à son ami Michel Gallimard que les filles de *Vogue* le surnommaient le jeune Humphrey Bogart français et qu'il pourrait décrocher un contrat de cinéma. Il était comme un coq...

Plus sérieusement, Camus et Jean-Jacques avaient aussi la même foi en Mendès France. Dès qu'il vit Mendès, Camus déclara : « Pour la première fois, j'ai eu l'impression de rencontrer un véritable homme d'État. »

Vous l'avez dit, Camus était beau. Si vous n'aviez pas aimé JJSS, auriez-vous pu tomber amoureuse de lui ?

Sincèrement, je pense que oui. Mais j'ai échappé à cela. Camus avait, comme le dit Jean Daniel, une allure de voyou princier. À l'époque de *L'Express*, il aimait une comédienne, Catherine Sellers. Il avait eu auparavant une longue passion pour Maria Casarès. En réalité, Camus plaçait le théâtre au-dessus de tout.

Mauriac prétendait qu'il n'était pas souhaitable pour

un écrivain de commencer par le journalisme, mais, s'exclamait-il, « quelle merveilleuse porte de sortie ». Camus, lui, a commencé par le journalisme...

Oui, et cela n'a entravé en rien son talent d'écrivain. Sans doute le journalisme l'a-t-il aidé à imposer à la littérature ce style nerveux, ces phrases courtes, ce rythme. C'est certainement pour cette raison que *L'Étranger* est aujourd'hui le roman le plus lu par la génération des vingt ans. Bien sûr, la mort accidentelle d'un être, jeune, beau et doué a construit la légende.

Le journalisme n'était sûrement pas primordial pour lui mais il en possédait la parfaite maîtrise. Il avait une excellente formule pour définir un éditorial : une idée, trois feuillets. Certains ont prétendu que pour Camus, le journalisme n'était qu'un « accident » – ce mot résonne mal en moi, quand on connaît l'issue de sa vie. Pour lui, c'était la forme la plus agréable de l'engagement, il me l'a dit.

En 1957, dans son discours de Suède, il évoque le rôle de l'écrivain qui n'est pas sans rappeler celui du journaliste : « Quelles que soient nos infirmités personnelles, la noblesse de notre métier s'enracinera toujours dans deux engagements difficiles à maintenir : le refus de mentir sur ce que l'on sait et la résistance à l'oppression. » Quel journaliste ne souscrirait-il pas à cette profession de foi ?

De quelle nature étaient les relations entre Mauriac et

122

Camus ? On sait que Mauriac avait écrit : « Camus est un brillant second. » À la parution de L'Homme révolté, *il avait fait une critique très dure : « Une série de dissertations qui valent toutes 18 sur 20 »...*

Ils ne s'aimaient pas, c'est sûr. Quand il leur arrivait de se croiser dans les couloirs du journal, ils se saluaient avec courtoisie, sans plus.

Mauriac, c'est vrai, a écrit des choses très sévères sur Camus. Et puis, du jour au lendemain, plus un mot. Il avait appris, par hasard, qu'il était le fils d'une femme de ménage. Mauriac en a été bouleversé.

Le vrai drame de Camus n'a-t-il pas été celui de la guerre d'Algérie dont il ne connaîtra pas le dénouement en 1962, puisqu'il disparaît en 1960 ?

Camus écrit dans *L'Express* de mai 1955 à février 1956. En tout trente-cinq articles dont certains, bien évidemment, concernent l'Algérie. Puis, pétrifié et déchiré par ce qui se passe sur sa terre natale, il préfère se taire. Ce silence, beaucoup de ses amis le lui reprocheront, y compris Jean Daniel, qui l'aimait tant, mais qui sera heurté par son mutisme. D'autant plus que Camus, quand il était journaliste à *Alger Républicain*, avait été le premier à donner l'alerte sur la situation, le premier également à être expulsé du territoire. Avant tout le monde, il avait deviné ce qui se préparait. Sa décision de ne plus s'engager publiquement semble alors incompréhensible. Il s'en expliquera dans les colonnes du *Monde*. N'étant d'accord ni avec ce qui se disait à droite ni avec ce qui se disait à gauche et ne voulant pas ajouter la confusion au malheur, il choisit de ne plus s'exprimer. La seule personne dont il partage les vues, c'est l'ethnologue Germaine Tillion qui redoute que l'indépendance ne conduise le pays à la misère et à l'anarchie. Quarante-cinq ans après, l'actualité lui donne encore raison.

Et puis, il y a cette phrase célèbre et ambiguë, prononcée lors de son discours à la réception de son prix Nobel : « Je crois à la justice, mais je défendrai ma mère avant la justice. » Comment l'interprétez-vous ?

Cette phrase connue de tous a donné lieu à plusieurs interprétations. Elle illustre son déchirement. Chacun l'entend comme il veut.

L'historien Michel Winock écrit dans son essai, Les Intellectuels dans le siècle *: « Camus meurt incompris de sa famille intellectuelle. » Raymond Aron après sa lecture des* Chroniques algériennes *traite Camus de « colonisateur de bonne volonté ». Comment expliquez-vous le malentendu qui l'entoure ?*

D'abord on lui fait payer son succès. Il n'a d'ailleurs rien fait pour qu'on le lui pardonne. C'était un homme, séduisant, hautain et orgueilleux. Jeune romancier adulé, il ne pouvait qu'être jalousé et envié par la confrérie des intellectuels et des écrivains. Sa position vis-à-vis de l'Algérie où se mélangeaient déchirement et contradictions le rendait difficile à suivre et à comprendre. Sa solitude délibérée, de nos jours on appellerait ça son « déficit de communication », l'a tenu à l'écart de la communauté des esprits forts. Il n'appartenait à aucun clan. S'il avait une famille, elle était du côté du théâtre. Ses doutes, et il en était perclus, ne lui facilitaient pas le contact avec les autres. Derrière sa gueule de beau gosse, il était meurtri de partout.

L'Express *de juin 1956 lui consacre deux pages titrées* « L'homme de la semaine » *et signées Thomas Lenoir. Derrière ce pseudonyme, c'est vous. Pourquoi ?*

Thomas Lenoir était le nom qui servait à tous les journalistes suivant les circonstances. Un pseudonyme commun à toute la rédaction. Soit parce que plusieurs journalistes avaient participé à une même enquête. Soit pour éviter qu'une même signature revienne à plusieurs endroits dans le numéro. Dans ce cas précis, je ne me souviens plus de la raison, mais j'avais probablement signé un autre article, quelques pages plus loin ou avant. Il existait toujours un nom passe-partout dans un journal. J'ignore si cette tradition continue.

Cet article marquait la sortie de son silence politique et saluait la publication de son roman *La*

Chute. Il était à la fois un portrait de l'homme et une analyse de l'œuvre.

En quelques lignes, vous en percez toute la complexité : « Devant cet homme écorché, qui semble toujours avoir quelque flèche fichée dans son flanc, et autant de difficulté à vous supporter qu'à vous quitter, à ne pas agir qu'à agir, à croire qu'à désespérer, on pense au Moïse de Vigny : "Seigneur... laissez-moi m'endormir du soleil de la terre." » Quand, le 4 janvier 1960, vous apprenez sa mort brutale dans un accident d'auto, que ressentez-vous et que décide la directrice de L'Express *?*

Je me souviens d'un choc dans la poitrine, qui, quelques secondes, m'empêche de trouver mon souffle. Je pense à cet étrange destin du petit garçon d'Oran devenu prix Nobel, qui avait connu la misère de l'intérieur, comme il le disait ; qui aimait tant la vie, avait un vrai sens de l'équipe, dans les rédactions des journaux, sur la scène des théâtres ou sur un terrain de football, tout en étant un familier de la solitude. Ensuite, j'ai dû parler avec les gens du journal et nous avons décidé, bien sûr, de lui consacrer la couverture et Jean Daniel a écrit un magnifique article plein de douleur contenue et de fraternité déclarée qu'il terminait par un extrait de *L'Étranger* : « C'était un homme », et Meursault, le narrateur, ajoute : « Il m'a semblé que ses yeux brillaient et que ses lèvres tremblaient. Il avait l'air de me demander ce qu'il pouvait encore faire. Moi, je n'ai rien dit, je n'ai fait aucun geste, mais c'est la première fois de ma vie que j'ai eu envie d'embrasser un homme. »

François Mauriac dans *Le Figaro littéraire,* Sartre dans *France-Observateur* s'inclinent : « [...] nous nous sommes tous retrouvés frères en Camus, ces jours-ci. Et, c'est ce qui mêle à l'horreur de cette mort une secrète douceur, celle que je ressentais à me trouver tout à coup très proche de Sartre par exemple dont le bref article de *France-Observateur* m'a touché plus que je ne saurais dire... Ce n'est que la plainte d'un homme qui a aimé Camus, qui a souffert par lui, qui l'a fait souffrir et qui a été cruel... » Voilà ce qu'écrivait Mauriac.

Pourquoi faut-il toujours attendre la mort pour réunir les vivants ?

9

ANDRÉ MALRAUX

« **En Malraux se réconcilient l'intelligence et l'action, fait des plus rares.** »
Henri de Montherlant.

FRANÇOISE GIROUD. C'est incontestable, mais cette combinaison n'est pas follement originale. Heureusement, Malraux, lui, était tout à fait original. Il alliait le sentiment du tragique de la vie, de son absurdité, à celui d'une grandeur de l'homme qui le transcendait.

MARTINE DE RABAUDY. *Lorsque Malraux disparaît en 1976, vous n'exercez plus votre métier de journaliste, vous êtes secrétaire d'État à la Culture, installée rue de Valois. Vous remplissez donc la fonction que de Gaulle avait créée pour lui, « l'ami génial », et vous êtes à l'adresse où il a passé neuf années de sa vie. Que décidez-vous ?*

J'ai de la peine. Je suis seule dans mon bureau, celui qu'il avait occupé, Florence, sa fille, vient de me prévenir. Nous sommes devenues proches, Florence a longtemps travaillé près de moi à *L'Express*, avant d'épouser Alain Resnais. J'ai vraiment de la peine. Je fais mettre en berne le drapeau du ministère. À mon tour, je préviens le président de la République. Valéry Giscard d'Estaing me dit tout d'abord qu'il n'assistera pas aux obsèques, que le Premier ministre, Raymond Barre, les présidera et que j'aurai à prononcer l'éloge funèbre. Je prends des dispositions avec mon cabinet pour l'organisation de la cérémonie. Elle se déroulera dans la cour Carrée du Louvre. Doit-on mettre un grand panneau avec une photo ? Ça ne me dit rien. Le jeune Malraux était beau, mais pas l'homme ayant beaucoup souffert qu'il était devenu. Soudain, j'ai une idée, on va exposer un chat, un des superbes chats égyptiens des collections du Louvre. Malraux adorait les chats, passion que nous partagions. Je suis sûre que cela lui aurait plu. Florence acquiesce. Reste à obtenir le chat. Par précaution, on le protégera par un coffrage en verre.

L'après-midi, Giscard me rappelle : « J'ai réfléchi, je serai présent aux obsèques. C'est donc le Premier ministre qui fera le discours. » J'avais écrit le mien. La première réaction de Giscard, ne pas venir enterrer Malraux lui-même, m'avait affligée. Je fus donc contente qu'il ait évité cette erreur et c'était plus important qu'un discours, aurait-il été doux à mon ego. Raymond Barre dut écrire le sien dans la nuit.

ANDRÉ MALRAUX

Le numéro 1325 de L'Express, *daté du 29 novembre au 3 décembre 1976, consacre sa couverture et trente pages à l'événement. Cet hommage exceptionnel s'ouvre par un article de vous. La journaliste ne peut s'empêcher de réagir.*

J'ai utilisé mon discours non prononcé en le proposant à *L'Express*. Étant donné l'importance – justifiée – que le journal souhaitait donner à la disparition de Malraux, cela ne posait aucun problème.

Vous écrivez : « Sous son regard vert, pupilles soutenues, comme celles de Baudelaire, d'un haut faux col blanc, on prenait soudain le goût de soi, dialoguant avec lui.
Sublime illusion.
Malraux ne dialoguait qu'avec lui-même. »
Quelques lignes plus loin : « On le quittait caracolant sur les cimes, la tête emplie de cloches. Que la plaine était grise après lui. »

C'est la sensation que ressentaient ses interlocuteurs qui n'étaient le plus souvent que des « écouteurs », avec cette habitude qu'il avait de ponctuer son discours de « comme vous savez » qui rehaussaient celui qui se trouvait en face de lui.
Je me souviens de la toute première fois où je l'ai vu. Cela remonte à bien loin, au tout début des années 1930. Gide, que j'avais eu la chance de rencontrer par Marc Allégret, m'emmenait quelquefois déjeuner avec lui dans son bistrot favori, *Le Petit*

Voltaire. Il m'avait dit un jour : « Je vais vous présenter un jeune homme beaucoup plus extraordinaire que ses livres... » C'était Malraux.

Avez-vous éprouvé en le découvrant ce que Jean Lacouture écrit dans sa biographie : « Il a le feu dans la tête et la foudre au poing » ?

Pas cette fois-là. Il faut dire que j'étais pétrifiée par son débit, sa volubilité, ses tics et aussi que j'assistais à une conversation extraordinaire, au cours de laquelle Malraux voulait obtenir de Gide qu'il ne publie pas son *Retour d'URSS.* Malraux était compagnon de route des communistes, Gide ne l'était plus. Tout cela semblait bien compliqué et j'essayais de suivre. Comme chacun sait, Gide n'a pas cédé.

Quand toute jeune fille, au début de la guerre d'Espagne, vous allez manifester dans la rue en criant : « Des avions pour l'Espagne », vous savez donc qui est Malraux ?

Oui, bien sûr. J'avais lu ses romans. En 1933, il avait obtenu le prix Goncourt pour *La Condition humaine,* qui l'avait rendu célèbre. Et il avait déjà publié *Les Conquérants* et *La Voie royale.* La guerre d'Espagne, c'était en 1936. Alors Malraux transforma son engagement politique en action sur le terrain. Et c'est à cette époque que l'on manifestait dans la rue.

À propos de ses romans, en particulier des Conqué-

132

rants, *Jean Cocteau déclare que « c'est de la littérature de journaliste »*.

Faut-il l'entendre comme un compliment ? Venant de Cocteau, je ne le crois pas. On peut toujours dire cela d'une écriture où le mouvement, la rapidité, la mise en scène priment. On l'a dit pour Camus, on l'a dit pour Malraux. Pourquoi ne le dirait-on pas de Stendhal ? Cela fait partie de ces petitesses échangées entre confrères. Chacun surveillant activement les ventes de l'autre. Comme les couturiers ou les cuisiniers, les écrivains vivent mal la rivalité. Au fait, qui lit Cocteau aujourd'hui ?

À propos de chicanes, quels étaient les rapports qu'entretenaient les « quatre grands » écrivains de L'Express : *Mauriac, Malraux, Camus et Sartre ? Organisiez-vous des rencontres dans les fameux déjeuners de* L'Express *comme pour les politiques ? Se répondaient-ils à travers les colonnes du journal ?*

Je n'ai pas souvenir de choses désagréables entre Mauriac et Malraux. À part un moment de tension en juin 1958. Malraux soutenait que depuis le retour du général de Gaulle la torture avait cessé en Algérie. Ce qui était faux. Mauriac refuse une invitation que lui lance Malraux de former une commission avec deux autres Prix Nobel, Camus et Roger Martin Du Gard, et de se rendre à Alger. Dans son *Bloc-notes* du 28 juin, Mauriac décline l'invitation lui suggérant d'installer à Alger une commission permanente, chargée de veiller à ce que tous les échelons de la justice militaire et civile respectent les ordres de De Gaulle. Ce qui, selon lui, serait plus efficace qu'un coup d'éclat de quelques Prix Nobel.

Leur vénération pour « le Général », comme l'appelait toujours Malraux, chacun dans son rôle, les rapprochait. Mais leurs tempéraments ne pouvaient en faire des amis.

D'autre part, Mauriac se plaignait que Malraux ait refusé de poser sa candidature à l'Académie française. Toujours dans son *Bloc-notes,* il déplore le dédain des écrivains de gauche vis-à-vis de l'Académie. Son reproche s'adresse également à Camus. Ne soulevons même pas le cas de Sartre. Mauriac les accuse de laisser un boulevard à la droite, alors que pour lui l'*Académie* se doit de tenir un rôle politique important dans les périodes de troubles. Mais faute de combattants...

Sartre et Malraux avaient des rapports plus compliqués. Sartre avait déclaré que Malraux était un être fait pour la mort. Agacé, Malraux lui avait répliqué que les idées ne sont pas faites pour être seulement pensées mais aussi vécues. C'est d'ailleurs le sujet de *La Condition humaine.* Je me souviens d'un film vu à la télévision dans lequel Sartre avouait qu'après la guerre d'Espagne il avait regretté de ne pas s'être engagé physiquement. Ce qui faisait dire à Simone de Beauvoir pour le disculper : « Qu'est-ce que Sartre aurait fait avec un fusil ? »

134

Plus gravement, pendant la guerre de 1940, Malraux lâche contre Sartre cette accusation : « Pendant que j'étais devant la Gestapo, Sartre faisait jouer ses pièces à Paris avec l'assentiment des nazis. » Ce qui n'est pas gracieux mais pas complètement faux. Cependant, le procès fait à Sartre par Malraux était excessif. Sartre n'a pas été courageux mais il n'a pas non plus été méprisable.

Plus tard, Malraux refusera à Sartre d'écrire dans sa revue, *Les Temps modernes,* qu'il considère comme antilittéraire et ennuyeuse. « Pour qu'un article soit digne d'être lu, il faut qu'il compte un minimum de quatre cents pages », lâche Malraux avec ironie. Ce qui est encore exagéré mais pas non plus inexact. Une autre fois, parlant toujours des *Temps modernes,* il avait dit : « C'est une affreuse revue de pions : on va faire notre service littéraire et on ne va pas rigoler. » J'ignore si l'on « rigolait » à la *NRF* avec Paulhan, mais c'était sa famille littéraire. Sartre au bout du compte était moins offensif avec Malraux, il reconnaissait : « Il ne m'estimait pas, je ne l'estimais guère, tout en étant très poli : je ne l'ai jamais attaqué. » Ce qui était vrai.

À propos de Camus, j'ai déjà raconté combien tout avait été, pour lui, douloureux avec Sartre. En Malraux, au contraire, Camus trouve un allié. Malraux se montre dès le début très protecteur. C'est lui qui le présente à Gaston Gallimard et Camus, l'orgueilleux, accepte les remarques de Malraux, quand il lui donne à lire ses manuscrits. Dans une lettre à Pascal Pia, Camus écrit : « Malraux n'est pas homme à parler pour ne rien dire. Je prends donc ses critiques pour les preuves de l'approbation qu'il apporte à ce que je fais. » Malraux était généreux et c'était un ami fidèle. Il l'a prouvé avec Drieu La Rochelle. Drieu n'était pas un personnage sympathique, il a écrit des choses condamnables, mais il n'a tué personne à part lui-même. Alors que tout le monde le rejetait, Malraux ne lui a jamais retiré son amitié. J'aime cette fidélité. Il répétait ceci, que je trouve très honorable : « Je suis du côté de mes amis, surtout quand ils ont tort. »

Raymond Aron qui avait été le directeur de cabinet de Malraux, après la guerre, lorsqu'il était ministre de l'Information, le définissait ainsi : « Un tiers génial, un tiers faux, un tiers incompréhensible. » Qu'en pensez-vous ?

« Génial », c'est incontestable quand il s'exprime sur l'art. Si on lit *Le Musée imaginaire* ou regarde les films que, par exemple, Jean-Marie Drot a réalisés avec lui. Si on lit un petit livre moins connu qui contient ses conversations avec le critique et collectionneur, Bernard Berenson. Là on trouve du génie, en tout cas un regard et une interprétation de l'art qui n'appartiennent qu'à lui.

« Faux », on a beaucoup glosé sur la mythomanie ou l'imposture de Malraux. Je préfère le mot de fabulateur. Je suis de l'avis du philosophe Jean-François Lyotard qui a écrit dans son *Signé Malraux* qu'il faut lire sa vie comme « un recueil de légendes ».

À un moment, il est vrai, il a un peu déliré lorsqu'il déclarait : « Le général de Gaulle n'a qu'un successeur, c'est moi, mais je ne peux pas le lui dire. »

Dans l'un de vos articles, vous notez avec indulgence . « Il n'a jamais juré fidélité à la pâle vérité. » Lui, expliquait à la fin de sa vie : « La sincérité n'est pas un problème qui m'intéresse beaucoup... La grande valeur de la sincérité me paraît être morte avec la psychanalyse. » Que veut-il dire ?

Je ne sais pas. Il était capable, lui aussi, comme Sartre, sur d'autres sujets, de dire n'importe quoi. On arrive là au troisième mot employé par Aron : « incompréhensible ».

L'histoire raconte que c'est vous qui, en secret, avez présenté Malraux à Mendès France, en 1958. Et c'est là que Malraux aurait dit à Mendès : « On ne prend pas le pouvoir avec de la franchise, de la candeur, mais avec de la ruse. » Comment cela s'est-il passé ?

L'histoire dit vrai. Ça s'est passé à *L'Express* et ça s'est mal passé. Nous avions enfermé les deux hommes dans un petit bureau avec un gros magnétophone. Ils sont restés ensemble pendant deux heures. Malraux a tenu un discours délirant sur l'Algérie. Puis ils se sont séparés. Nous nous sommes précipités sur le magnétophone parce que nous n'avions pas tout entendu. Zap ! comme on ne disait pas encore, il n'y avait rien d'enregistré sur la bande ! À l'époque, ces appareils étaient peu fiables.

Quelles ont été d'après vous les relations de Malraux avec François Mitterrand ?

En privé, je l'ignore. Je ne pense pas qu'ils aient eu beaucoup d'occasions de se croiser. En public, très violentes de la part de Malraux, surtout en 1965 dans le discours qu'il prononce au palais des Sports entre les deux tours de la première élection présidentielle au suffrage universel. Mitterrand avait mis de Gaulle en ballottage et on entend un Malraux déchaîné et lyrique. Un tribun de haute volée, ravageur pour Mitterrand. Quand, après avoir récapitulé l'inventaire politique de De Gaulle depuis 1940, il lance son fameux : « Vous, qu'avez-vous fait ? Vous avez rêvé la gauche. Vous croyez que vous la faites quand vous parlez d'elle. » Du grand Malraux. Il savait que Mitterrand à une tribune pouvait être aussi très brillant, alors il lui donne toute sa mesure.

À la télévision, Malraux fera aussi ses preuves. Vous parliez de ses entretiens avec Jean-Marie Drot. Il y eut ceux avec Roger Stéphane...

Il avait compris le ton à adopter. Ses ultimes apparitions étaient moins réussies, à cause de sa voix étranglée et de ses tics. Mais Olivier Todd a raison quand il dit dans sa biographie qu'il fut l'écrivain français de l'époque qui sut le mieux utiliser la presse, la radio et la télévision. Le journalisme ne lui était pas non plus étranger. Jeune, il avait aidé son ami Emmanuel Berl à la conception de la maquette de *Marianne,* dont Berl était le directeur.

En 1954, comment l'avez-vous convaincu d'accepter de donner des grands entretiens à L'Express *? Qui était son interlocuteur direct ?*

Ce n'était pas un exploit. Le journal lui plaisait. Il aimait bien avoir une tribune de temps en temps. Cela s'est donc fait très facilement. Il est venu déjeuner au journal et, en partant, il était d'accord. Il s'est très bien entendu avec Jean-Jacques et j'ai ensuite été son interlocutrice pour la mise en forme de ces entretiens. Nous avons ainsi créé avec lui une nouvelle formule dans le journal.

Le premier entretien concernait l'adaptation au théâtre de *La Condition humaine* par Thierry Maulnier qui avait provoqué dans le public des réactions passionnées.

Le deuxième, daté de janvier 1955, commentait la naissance de la « nouvelle gauche », il passait en revue les différents partis politiques et les motifs de leurs divisions. Malraux tentait de démontrer comment « une vraie victoire de l'esprit de gauche est possible ». Je ne me souviens plus du nombre précis de ces rendez-vous dans *L'Express.* En 1958, il est nommé ministre et la série est interrompue pour cette raison.

Dans Arthur ou le bonheur de vivre, *vous écrivez « Enterrer son enfant, c'est une expérience inhumaine. » Vous avez perdu un fils dans un accident de ski, Malraux ses deux fils dans un accident d'auto. Ce sentiment silencieux d'avoir vécu la même douleur vous rapprochait-il de lui ?*

Ni lui ni moi n'en avons jamais parlé. Autant que moi, il avait horreur de la familiarité. La mort, c'est vrai, a habité sa vie. Mais sur cette question je vous dirai ce qu'il répondait en parlant de Picasso : « Je n'ai pas connu de Pablo, je n'ai connu que Picasso. »

10

LA TÉLÉVISION

« La télévision, je la comparais l'autre jour à une mangouste. Elle finira par dévorer tout le reste : la radio, la lecture, les journaux. »
François Mauriac dans *Bloc-notes*, mardi 7 avril 1959.

FRANÇOISE GIROUD. Ça ressemble à quoi, une mangouste ? Je n'en ai jamais vu.

MARTINE DE RABAUDY. *Ça ressemble à une belette. La mangouste vit en Afrique et en Asie et se nourrit de reptiles et de rats.*

Je comprends mieux la métaphore de Mauriac. Une belette, c'est plutôt joli, ça n'a pas l'air dangereux et pourtant ça l'est. En 1959, quand il dit cela, Mauriac a déjà compris quels risques la télévision faisait courir

141

aux journaux et à la lecture dans son ensemble. Il ne parle pas en l'air puisque à ce moment-là il est le chroniqueur de télévision de *L'Express*. Jean-Jacques le lui avait demandé et il avait accepté. Tout ce qui était nouveau pour lui l'intéressait.

C'est ce que vous faites aujourd'hui et depuis plusieurs années, chaque semaine pour Le Nouvel Observateur. *Pourquoi avez-vous choisi de tenir cette chronique ?*

Jean Daniel m'a donné la chance de reprendre une collaboration régulière dans un journal de bonne classe à un moment psychologiquement difficile. Je vivais avec un homme gravement malade qui avait impérativement besoin de moi.

Cette chronique se nourrit des émissions diffusées sur une semaine, elle est un prétexte qui me permet de commenter l'actualité politique, culturelle, sociale ou internationale, le reflet qui en a été donné.

Est-ce très absorbant et au bout de quelques années n'êtes-vous pas fatiguée par tant d'images, tant d'émissions qui se ressemblent ?

Je dis souvent que je n'aime pas la télévision. Toutefois, elle est souveraine dans les catastrophes. Nous venons d'en avoir une magistrale démonstration avec l'attentat de New York. On restait là, planté devant son écran, regardant pour la dixième fois le Boeing se fracasser contre la Tour... Rien d'autre ne peut procurer semblable émotion. J'espère que nous n'aurons pas de nouvelle occasion d'éprouver cela. Ce n'était pas un spectacle courant.

En général, l'actualité n'est pas trop mal traitée par la télévision, toutes chaînes confondues. Mes réserves se portent sur les programmes. Je n'ai pas de respect pour les faiseurs d'émissions, à quelques exceptions près, qui appartiennent plutôt au passé, Pierre Desgraupes, Frédéric Rossif... Tout n'est pas mauvais, loin de là, la télévision française est plus qu'honorable si on la compare aux télévisions étrangères. Les Anglais, peut-être, la dépassent, mais il y a longtemps que je n'ai pas jeté un œil sur *Channel 4*, qui ne s'adresse nullement à une élite mais à la fraction la plus exigeante du grand public. Je tiens la télévision pour une technique que n'importe qui ou presque peut maîtriser et où la part de l'art est très faible. La télévision a-t-elle jamais donné naissance à un seul chef-d'œuvre au cours de son histoire ? Pas un. C'est le cinéma qui a tout fait. Combien d'exemples pourrait-on citer...

Ce qui m'intéresse, c'est de voir ce que l'on montre au public et l'impact que cela provoque, la relation entre le petit écran et la société. C'est parfois accablant. Devant le succès de *Loft Story* qui, tous les soirs, pendant plusieurs semaines, a réuni six millions de téléspectateurs, l'esprit critique ne peut pas rester indifférent. Cela signifie quelque chose. Quoi ? À partir de cette interrogation, la curiosité et la réflexion sont en alerte.

Depuis la création de Arrêt sur images, *l'émission de Daniel Schneidermann, la télévision pratique l'autoanalyse. Est-ce selon vous une bonne chose ?*

L'émission de Schneidermann a été la bienvenue, avec plus ou moins de réussite comme il est normal. Son côté réquisitoire la rend parfois un peu irritante mais dans l'ensemble je trouve qu'elle est salutaire. C'est une saine initiative.

Dans les colonnes du Figaro, *vous avez mené une campagne contre les scènes de violence que la télévision diffusait à des heures de grande écoute. Avez-vous obtenu gain de cause ?*

Cette campagne a donné des résultats, notamment avec les chaînes publiques. Je reste convaincue, contrairement à certains, que les images violentes ont une influence sur le comportement humain, des enfants, bien sûr, mais également des adultes. Il est idiot de nier que la violence entraîne la violence. On le constate à chaque heure dans le monde. L'agressivité est une pulsion facile à exciter. Pas seulement avec les petits garçons qui se bagarrent dans les cours de récréation. Savez-vous qu'à quatorze ans, un adolescent a vu quatorze mille crimes ?

Partagez-vous ce que Mauriac écrivait dans L'Express : « La télévision reflète ce monde tel qu'il est. Votre petit*

écran est un miroir. Ne vous en prenez pas à lui de la tête
que vous avez. C'est à cela que vous ressemblez » ?

Encore une fois, François Mauriac dit juste. J'irai
plus loin. La télévision est un miroir qui fait loupe.
Elle grossit les défauts physiques comme les intona-
tions. La classe politique en a souvent fait les frais.
La « barbe bleue » de Mendès France n'est qu'un
exemple... Et les tics de Malraux. Ce qu'on appelle
la langue de bois des politiques, c'est également la
télévision qui l'a rendue insupportable.

N'avez-vous jamais été tentée, comme beaucoup de jour-
nalistes de la presse écrite l'ont fait, de créer un magazine
d'information ? On se souvient particulièrement de Cinq
Colonnes *à la une que Pierre Lazareff produisait avec*
Pierre Desgraupes, Pierre Dumayet et Igor Barrère.

Cinq Colonnes reste le résultat d'une conjonction
exceptionnelle de talents et du moment où l'émission est née. Dans le vide, on ne refait pas, on ne
refera pas *Cinq Colonnes*.
Créer un magazine d'information ? J'étais bien
trop occupée par *L'Express* pour avoir même l'idée
d'y songer. Plus tard, j'ai inventé une émission littéraire sur la première chaîne. Christian Bernadac qui
la dirigeait m'avait donné carte blanche pour un
magazine mensuel. J'ai cherché une idée, je lui ai
donné un drôle de titre, *Les Vaches sacrées*, qui corres-
pondait bien à ce que je voulais réaliser ; traiter « la

145

haute littérature » en la rendant accessible à tous.
Avec des écrivains et des journalistes littéraires,
j'avais trouvé une façon d'aborder les grands
auteurs dont les noms sont connus de tout le
monde, sans qu'ils soient lus pour autant. Je me souviens d'un Victor Hugo réussi. D'un Diderot aussi.
J'ai dû arrêter. Ce travail devenait trop absorbant.
J'avais un malade à soigner.

Après avoir dirigé pendant vingt ans L'Express *et rem-*
pli deux fois des fonctions ministérielles, quelqu'un vous
a-t-il proposé de prendre la direction d'une chaîne ? Vous
aviez, comme on dit, le bon profil...

Giscard l'avait évoqué mais cela tombait à la veille
d'une année électorale. J'ai tout de suite compris
que ce n'était pas un cadeau. J'ai décliné l'offre.

Justement, puisque nous entrons en période électorale,
quels conseils donneriez-vous aux candidats à la présidence
de la République de 2002 ?

Il faut qu'ils soient inspirés, au bon moment.
Giscard a fusillé Mitterrand, très bon cependant
jusque-là, en une phrase, en 1974 : « Vous n'avez pas
le monopole du cœur. » Ces duels face à face
guindés, minutés, sont meurtriers parce qu'ils peuvent se jouer sur trois mots, sur une expression mal-
heureuse du visage... Il y faut, en tout cas, une
grande maîtrise de soi.

Comment rivaliser avec un de Gaulle, un Giscard ou un Mitterrand ? Pour vous, lequel des trois était le champion ?

Difficile à dire. Ils étaient champions tous les trois, chacun dans leur style. Giscard était probablement le plus systématique, le plus technicien. Il avait étudié la bête télévision, comment il fallait la prendre, le vocabulaire qui lui convenait, la dose de démagogie qu'on pouvait injecter, la simplicité qu'on pouvait affecter... Parfois, il s'est trompé – sa mauvaise sortie par exemple – mais il a vraiment apprivoisé la télévision systématiquement. Je ne sais pas si Chirac a travaillé, lui. C'est le champion de la démagogie, mais il me semble qu'il fait cela spontanément. C'est l'anti-Giscard. Il n'a pas besoin de se forcer.

De Gaulle, c'est une autre histoire. Ses débuts ont été catastrophiques. Marcel Bleustein, le publicitaire, est accouru chez lui, et lui a dit, tremblant : « Mon Général, ce n'est pas possible. Vous ne pouvez pas entrer chez les gens un papier à la main et le leur lire, ce n'est pas possible ! »

Le génie de De Gaulle à cet instant est d'avoir écouté Bleustein. Non seulement il n'a plus jamais lu un papier mais il a pris quelques leçons pour parler « dans le poste ». Ensuite, il a été superbe. Mitterrand aussi a été mauvais à la télévision, et même pendant longtemps. Et puis, il a fait scier ses canines et peu à peu il a complètement maîtrisé l'animal jusqu'à devenir excellent.

147

Un mystère demeure : pourquoi certains retiennent d'emblée l'attention ? Beaux ou laids, peu importe, ils crèvent l'écran. C'était éclatant chez Pivot. L'inconnu qui, tout à coup, emportait le morceau... C'est inexplicable.

Que pensez-vous de l'efficacité des conseillers en communication ?

Ils sont devenus indispensables. Un homme qui veut le pouvoir, qu'il le cherche ou veuille le garder et qui n'a pas une bonne cellule de communication est de nos jours un coureur unijambiste. C'est ainsi. Une nouvelle tombe chaque minute et de tous les pays. Il faut réagir à chaque moment, ne pas se tromper de ton, de fond. Il faut donc s'entourer de gens très aigus. Regardez Tony Blair, il a pigé.

« Qu'on le veuille ou non et il y en a beaucoup, je le sais, qui ne me croient pas, le journaliste de télévision n'est pas tout à fait un journaliste comme un autre. » Georges Pompidou déclarait cela en 1973. Êtes-vous d'accord ?

Non. Mais la liberté d'expression par rapport au pouvoir fait peut-être moins mal aux politiques, dans la presse écrite que sur les ondes, du moins le croient-ils, parce qu'elle rassemble moins de monde. Pourtant, elle tape plus fort. Pendant de nombreuses années, Philippe Alexandre a cogné, mais c'était à la radio, à RTL. Combien de chefs de gouvernement ont réclamé la peau de ce journaliste à son président, Jacques Rigaud ? Tout le monde voulait le faire taire.

Essayons, voulez-vous, de réfléchir un peu au-delà, de dépasser les idées reçues ou véhiculées au sujet de l'information à la télévision et dans la presse écrite ou ce qui, demain, leur servira de substitut. Il n'y a pas de régime politique autoritaire, voire dictatorial, qui autorise que l'information circule librement parce qu'il ne peut pas le tolérer physiquement.

Le premier soin de l'auteur d'un coup d'État réussi a toujours été, partout, de s'emparer des moyens d'information. Naturellement, la lourdeur et l'ampleur de la télévision, la marée de l'Internet, modifieront les conditions techniques du jeu. Mais le fond restera inchangé : le public, disons tout simplement le peuple, a-t-il oui ou non le droit d'être informé de tout ? Est-il sain et sage de tout lui dire ou faut-il l'en protéger ? C'est une question grave. Celle à laquelle Sartre ose répondre lorsque le rapport Khrouchtchev sur les crimes de Staline est publié en URSS : « Un peuple, au-dessous d'un certain revenu, n'est pas en état d'entendre la vérité. » C'est à cela et seulement à cela qu'il faut être capable de répondre, avoir le courage de répondre et non pas, pardonnez-moi, de savoir si ce sont ou non les paparazzi qui portent la responsabilité de la mort de la princesse Diana. Ce n'est pas pour en arriver là que Chateaubriand, en 1830, prend feu et flamme en défendant la liberté de la presse. Il y a de quoi creuser la question : la liberté de l'information doit-elle être totale ou tenue en laisse ? Personne – en tout cas pas moi – ne peut dire : voilà ce qu'il faut autoriser ou, au contraire, ce qu'il faut interdire. Je pense seulement, plus modestement, que la diffusion de l'information est un agent capital de l'équilibre social et que nul ne devrait y jouer un rôle sans avoir conscience de sa responsabilité. Un peuple mal informé est un peuple démoralisé qui se réveille le matin mécontent de lui-même et des autres. Mais je crains que quelque chose chez nous soit en train de se déliter que j'appellerai tout simplement le respect de soi, au nom de la liberté de la presse. Et je n'aime pas quand les journalistes le perdent.

Que pensez-vous de l'expression « Lynchage médiatique » ?

Cette expression a été inventée par un journaliste, Jean-Claude Guillebaud. Elle a fait son chemin comme « la pensée unique », formule d'Alexandre Adler...

Ou encore, la « Nouvelle Vague » de Françoise Giroud...

Si vous voulez. Quand ces expressions ont un tel écho, c'est qu'elles recouvrent une réalité. C'est le cas avec « Lynchage médiatique ». Le lynchage médiatique existe, incontestablement. Pierre Bérégovoy en a été l'une des principales victimes.

Mais quand, au nom de la transparence – formidable hypocrisie à la mode car chacun veut voir mais pas être vu sans voiles –, quand, au nom de la transparence, quelques moyens de communication s'emparent d'un homme ou d'une femme et commencent à matraquer, ce n'est pas joli... Mais c'est inévitable. C'est la nature même de moyens d'information de « gonfler » ce qui, croient-ils, fait vendre. D'ailleurs, c'est souvent vrai jusqu'à ce que le ballon pète.

« La liberté ne peut pas être retirée au plus grand journal de France, celui que diffuse la télévision, pour la bonne raison qu'il ne l'a pas. Il ne l'a pas, non seulement parce qu'il est sous le contrôle rigoureux de l'État, mais parce qu'il est sans concurrence... Sans concurrence, la télévision monopole de l'État sera toujours – et on peut le craindre sous quelque régime que ce soit – un instrument au service du gouvernement en place. » Vous écrivez ceci dans le numéro 880 de L'Express, *daté du 28 avril au 5 mai 1968. Avec le recul, quels défauts majeurs et quels dérapages a entraînés la concurrence dans le domaine de l'information et dans celui des programmes ?*

Je suis incapable de me livrer ici à une analyse exhaustive de la télévision. D'ailleurs, je crois que cela ennuie tout le monde. Ce n'est pas un sujet de réflexion, la télévision, tous les livres qui lui ont été consacrés ont d'ailleurs cherché en vain des lecteurs.

151

Une bonne télévision de service public est à notre portée. Il paraît incroyable que cet objectif n'ait jamais été honnêtement poursuivi, puisque notre service public est encore, pour une bonne part, financé par la publicité du fait de la somme misérable de la redevance. Mais les conditions tout à fait rocambolesques dans lesquelles on a vu la télévision se développer sont dues à cette idée dévoyée qu'elle est d'abord un instrument de pouvoir. La méconnaissance grave du problème, l'irresponsabilité avec laquelle on a privatisé et bien d'autres folies encore ont anéanti l'espoir de voir s'épanouir le service public.

La France se retrouve avec quarante cinq chaînes câblées offrant des programmes intéressants que personne ou presque ne regarde. Parce que les français sont comme ça : manipuler leur télécommande, ça les rase, alors ils changent très peu de chaîne. Et, vous connaissez la bonne nouvelle ? Il en arrive six de plus...

11

QUAND LE PASSÉ PASSE AU PRÉSENT

« On ne sait jamais ce que le passé vous réserve. »
Alexandre Breffort

FRANÇOISE GIROUD. Le passé encombre. Matériellement, je viens de me débarrasser du mien en
confiant mes archives, textes et photos, à un orga-
nisme en charge de les classer et de les conserver.
Vous n'imaginez pas mon soulagement, lorsque j'ai
vu tous ces cartons quitter, définitivement, mon
appartement. Dans une vie de journaliste, le passé
personnel se confond avec les événements exté-
rieurs. Il resurgit à l'occasion des multiples commé-
morations ou des révélations à retardement, sur tel
ou tel fait. Hélas, dans le second cas, il remonte trop
souvent chargé de mauvais souvenirs comme, depuis
quelques mois, ceux de la torture pendant la guerre
d'Algérie.

MARTINE DE RABAUDY. *N'êtes-vous pas étonnée de consta-*
ter que cinquante ans après la signature des accords
d'Évian, on n'en a toujours pas fini avec les révélations et
les atrocités de cette guerre et que cela occupe encore la
« une » des journaux ?

C'est ce qu'exprime l'aphorisme sur « ce que
réserve le passé ».

En juin 1963, à l'occasion des dix ans de *L'Express,*
j'écrivais :

« Nous n'allons pas refaire ici l'histoire de la
guerre d'Algérie, c'est bien assez de l'avoir vécue. »
J'ajoutais, sans le nommer, les propos d'un homme
politique qui, après la démission du plus jeune général de l'armée, Jacques de Bollardière, déclarait avec
cynisme : « On pourrait compter sur les doigts d'une
main les exactions. » Que l'armée française torturait, on le savait. Bollardière, dès qu'il a appris les
méthodes ignobles de ses collègues, a démissionné.
Le Conseil des ministres, à l'exception d'une voix,
celle de Gaston Defferre, l'a condamné à une peine
de forteresse. Tout le monde était informé de ce qui
se passait ; de Gaulle s'en foutait et ce grand con de
Massu avait déclaré à un confrère de *La Croix* : « La
torture, vous n'avez que ce mot à la bouche, mais
je suis bien obligé de la pratiquer, comment faire
autrement ? » Enfin, quand je dis que de Gaulle s'en
désintéressait, c'est plus complexe. C'était l'armée
qui torturait, une vérité très difficile à accepter pour
de Gaulle qui était un militaire. Il n'a rien dit, sauf

en confidences, à une ou deux personnes : « Il faut cesser de torturer. » Les hommes du gouvernement, ce malheureux Guy Mollet, tout comme Mitterrand ne se sont pas prononcés non plus. Ce n'est pas un hasard. Dès qu'on touche à l'armée, c'est très grave. D'abord, elle l'a prouvé à maintes reprises, elle peut renverser un gouvernement du jour au lendemain. Voilà la raison majeure de ce formidable silence. Quelques journaux à petits et moyens tirages comme *Témoignage chrétien*, *L'Observateur*, celui dirigé par Claude Bourdet, *Le Monde* de Beuve-Méry et *L'Express* dénonçaient à longueur de numéro cette pratique. Mais pas une ligne dans *France-Soir*, qui tirait à un million et demi d'exemplaires, ni dans *Le Figaro* ou même dans *Paris Match*. *L'Express* fut, je crois, saisi vingt et une fois. Notamment lorsque Sartre fit un commentaire sur le livre d'Henri Alleg, *La Question*, paru aux éditions de Minuit. Comme je vous l'ai déjà raconté, Jean-Jacques fut rappelé plusieurs mois sous les drapeaux, le temps que, privé de sa tête, le journal coule. C'est du moins ce que croyait le gouvernement en place qui avait organisé cette basse manœuvre. J'ai tenu bon avec l'aide de toute l'équipe. En mai 1954, François Mauriac écrivait dans son *Bloc-notes* : « Je doute qu'il existe pour la presse un crime de silence. Le jour des règlements de comptes, nous ne serons pas accusés d'avoir parlé mais de nous être tus. » Le règlement de comptes arrive bien tard. Quarante ans, c'est un bail...

*Quand François Mitterrand, au cours de ses conversa-
tions télévisées avec Jean-Pierre Elkabbach, se plaignait de
ce que « remuer sans cesse le passé comme un théâtre
d'ombres entretient la haine » et ajoutait : « Ces journalistes d'investigation sont des policiers ratés qui tirent leurs
renseignements d'officines misérables », qu'auriez-vous eu
envie de lui répondre ?*

Que je trouve sain qu'un pays liquide ses vieux
cadavres. Les Allemands avec le nazisme ont fait leur
deuil. Les Américains également avec le Vietnam.
On doit savoir ce qui s'est passé. Pour des raisons
bien françaises, on a toujours biaisé, tenté d'enfouir,
d'éviter la vérité. Mendès répétait toujours : « Le
peuple français peut entendre la vérité. » Certains
l'ont entendu mais la plupart n'y tenaient pas. J'ai
parlé du livre d'Alleg, mais il y eut l'affaire Maurice
Audin, ce jeune professeur de mathématiques,
membre du parti communiste, arrêté le 11 juin 1957
par des parachutistes et qui n'est plus réapparu.
Selon la version officielle, il se serait évadé. En réalité, on apprendra vite qu'il a été fusillé après plusieurs jours de torture. Tout ça, on n'a pas attendu
aujourd'hui pour le révéler, le dire et l'écrire. Cela
prouve qu'une information peut laisser aveugle
quand on ne veut pas la connaître. N'est-ce pas également le cas en ce qui concerne l'Occupation et
Vichy ? De surcroît, ces quarante années de demi-
silence obligent les journalistes à faire ce qui devrait,
à cette heure, revenir aux historiens. Ce n'est pas
normal.

En revanche, cette manie de la « repentance » m'exaspère. Je ne songe pas à l'image symbolique du chancelier Kohl et de François Mitterrand se tenant par la main. Dans cette circonstance, il s'agissait de symboliser la réconciliation. Le général de Gaulle et le chancelier Adenauer en avaient tracé le chemin.

Quant aux journalistes d'investigation, je ne dirais pas qu'ils sont des « journalistes d'officine ». En tout cas, pas tous. C'est une forme de ce métier difficile, dangereuse pour celui qui l'exerce, qui inclut, c'est vrai, une part d'ivresse. Sur un « gros coup », celui qui enquête arrive toujours à un moment où son opinion est faite. Dès lors, transformé en chien de chasse, il ne lâche jamais son enquête avant de saisir sa proie et il va chercher tout ce qui peut alimenter sa thèse. Parfois, il se laisse aller à... disons des interprétations fallacieuses. C'est là que le directeur de la rédaction et le rédacteur en chef doivent l'épauler, ne pas le laisser s'aveugler parce qu'il s'approche trop près de ce qu'il pense être la lumière.

L'Express a toujours su garder une réputation de qualité avec ses journalistes d'investigation. À commencer par Jacques Derogy, le meilleur d'entre eux, qui, avec sa générosité naturelle, aimait former ses cadets. Il était un maître dans ce qu'il appelait « l'aventure du vrai ». C'est lui qui a déniché Paul Touvier dans sa cachette, qui a décelé une partie de la vérité de l'affaire Ben Barka. Avec « son associé » Jean-François Kahn, ils formaient un sacré tandem.

157

Il a ensuite découvert les vedettes de Cherbourg volatilisées en Israël. Quand Jacky rapportait un fait, suivait une piste, on pouvait lui faire entièrement confiance. Il ne se trompait pas, il ne « bidonnait » jamais comme on dit dans le jargon du métier. En outre, c'était un homme adorable. En octobre 1997, lorsqu'il a disparu, j'ai éprouvé un profond chagrin. Il était en train d'écrire son autobiographie, c'était la première fois qu'il parlait de lui.

Alors qu'est-ce qui a changé et fait que le journalisme d'investigation a perdu de son prestige, parfois ravalé à la presse de caniveau, selon l'expression par laquelle les Anglais désignent leurs « tabloïds » ?

Essentiellement, je crois, la pression de la télévision. Lutter contre elle n'est pas simple pour les journaux. Ils sont donc tentés de faire ce qu'elle ne fait pas : fouiller dans la vie privée des personnalités de toutes sortes, photographier à la dérobée. Ce sont les journaux de la presse dite « people ».

Les autres combattent autrement. Par la connivence avec un, deux, trois juges d'instruction qui leur communiquent les procès-verbaux des affaires qu'ils instruisent. Le rêve est de tomber sur un juge qui soit philosophiquement sur la même longueur d'onde que le journal qu'il va favoriser. Avec cette envie de faire sauter une société soupçonnée d'être corrompue. Edwy Plenel, le directeur de la rédaction du *Monde*, très brillant journaliste, qui ne cache pas sa formation trotskiste et, qui plus est, a été une des cibles des écoutes téléphoniques de l'Élysée, possède avec son journal un instrument magnifique. Alors, il s'en sert. De part et d'autre, tout le monde se donne bonne conscience. L'impunité qui protégeait les puissants, ces dernières décennies, a produit cet effet boomerang dévastateur.

Quel commentaire vous inspire l'intervention de la Cour de cassation qui a adressé un avertissement aux journalistes, le 19 juin dernier ? Elle donne la possibilité à la justice de les poursuivre pour « recel de violation du secret de l'instruction ». Accusation qui vient s'ajouter à la loi sur la presse de 1831 qui sanctionne pour diffamation et depuis 1993 pour atteinte à la présomption d'innocence. Le président de Reporters sans frontières s'est élevé contre cette nouvelle mesure « en désaccord avec la jurisprudence de la Cour européenne des droits de l'homme. Le journaliste ne recèle pas des secrets, il diffuse librement ses informations, ce qui est la base même de son métier. »

C'est une disposition très grave. Concrètement, elle interdit au journaliste d'apporter la preuve de ce qu'il avance puisqu'il est *a priori* déclaré coupable de la détenir. Il « recèle ». Quoi donc ? Un élément du secret de l'instruction, ou un secret professionnel qu'il a su se procurer. Pour protéger ces secrets, la Cour de cassation menotte les journalistes.

On voit bien comment les magistrats ont pu en arriver là, combien sont excédés, ulcérés des gens qui retrouvent leurs noms dans les articles de journaux présumés sérieux, assortis du récit de quelques vilenies qu'ils auraient commises. D'où sortent ces « informations » ? Du procès-verbal d'instruction que le journaliste s'est procuré. Dans d'autres affaires, ce sont les administrations qui communiquent à présent des documents aux journaux, ou des renseignements d'ordre strictement privé.

Tout cela est condamnable, sans aucun doute, et même assez odieux avec des airs de vertu mais si le remède consiste à paralyser la quête d'information parfois peu ragoûtante, c'est vrai, de quelques journalistes, merci bien !

C'est la respiration d'un pays qui s'arrête quand l'information cesse d'être libre. Je ne peux pas croire que nous ne trouvions pas en France le moyen d'être libres sans être abjects si on a vraiment la volonté de protéger à la fois la presse et les citoyens.

Pourriez-vous écrire aujourd'hui encore comme en 1972 dans Si je mens... : *« En règle générale, le journaliste n'est pas exposé, il juge et n'est pas jugé, il critique mais n'est pas critiqué, il fouille dans la vie des autres mais on ne fouille pas dans la sienne, il persifle mais n'est jamais moqué. Ce n'est pas épatant, ça ! »*

Depuis, des journalistes sont mis sur écoutes, mis en examen et condamnés. Jean-Marie Colombani, le patron du Monde, *déclarait dans une émission sur* France Culture : *« Je suis convoqué chez le juge presque chaque semaine. »*

Ils ne sont tout de même pas persécutés comme dans certains pays. Dieu merci ! Mais ils ont raison de crier « Au loup ».

Des hebdomadaires qui, au départ, avaient été conçus pour défendre des hommes et des idées politiques, L'Express *et* Le Nouvel Observateur, *ne peuvent plus, sauf à voir leur chiffre de vente fléchir, mettre en couverture la photo d'un chef de parti ou d'un homme d'État. Qu'est-ce qui a provoqué ce changement ?*

C'est vrai. Il existe un profond désintérêt, qui peut aller jusqu'à un mépris pour le personnel politique. Et la raison essentielle, c'est évidemment l'accumulation des « affaires ». Les scandales politiques ont toujours existé dans l'histoire des républiques. Et de taille ! Panama, l'affaire Stavisky et d'autres... Mais un scandale par jour et dans tous les partis, comme c'est le cas depuis quinze ans. Pas de semaine sans qu'un homme politique ne soit mis en examen, sans que l'on ne découvre les manigances d'un ministre, sans que le manteau de la corruption, qui recouvre le financement des partis politiques, ne se déchire un peu plus. Maintenant, cela éclabousse jusqu'au chef de l'État et concerne les comportements privés. On est loin du général de Gaulle, qui exigeait de régler ses communications téléphoniques personnelles quand il habitait à l'Élysée.

Aujourd'hui, la figure présidentielle est complètement désacralisée. Il faudrait, ce que personne ne peut souhaiter, que les terroristes islamistes fassent sauter la Tour Eiffel pour que les Français se rassemblent derrière leur Président.

Tout le reste relève de la gestion et non de la politique : les pistes cyclistes, le conflit avec les chasseurs, les problèmes du financement des retraites. La politique suppose un projet. La corruption suppose l'immoralité. Celle-ci triomphe doublement puisque, aux dernières élections municipales, des hommes lourdement condamnés par la justice, comme Patrick Balkany à Levallois, ont reconquis leur mairie. Les électeurs sont imprévisibles ! Le candidat qui traîne des casseroles bénéficie souvent d'un plus ! Globalement, le sentiment qui l'emporte à l'égard des politiques oscille entre l'indifférence (surtout chez les jeunes) et la nausée, la tristesse en ce qui me concerne. On sait très bien à quoi mène le mépris du « politique », dès que surgit une grande gueule qui sait l'exploiter. La France n'est pas vaccinée contre ce genre de mauvaise fièvre.

Seconde remarque, il y a dans le pays un sentiment d'impuissance des politiques. On sent confusément que le pouvoir n'est plus entre leurs seules mains. Le pouvoir politique est dépendant, sous la coupe de l'économie mondiale. Les hommes politiques maîtrisent mal cette machine-là. Du moins en est-on persuadé. Le pouvoir économique est si bruyant, si déterminant pour la vie de chacun qu'on établit avec lui des rapports qui peuvent atteindre la haine. Seul le pouvoir scientifique conserve encore un certain prestige. Mais on ne vote pas pour des savants.

Que manque-t-il à la presse actuelle, quand vous la comparez aux années où vous dirigiez Elle *puis* L'Express ?

La passion. Mais ce n'est pas à la presse qu'elle manque, c'est la vie qu'elle a désertée. Ce ne sont pas les problèmes qui font défaut. Ce sont les situations.

La décolonisation, qui a duré huit ans, c'était une situation passionnelle. Le retour de De Gaulle en 1858, aussi, ô combien, et Mai 68. Et, pour la première fois en France, l'alternance démocratique au pouvoir avec l'élection de François Mitterrand. Quand on pense à la place qu'ont tenu le communisme et l'anticommunisme dans les passions, dans les engagements, dans les polémiques, les imprécations, les excommunications, et pas seulement dans la vie politique, il est évident que leur extinction a joué un rôle considérable dans l'apaisement des esprits. Mais cet apaisement est devenu une morne sieste avec la cohabitation.

La passion, il y en a, mais où voulez-vous la mettre aujourd'hui, à part dans le football ? Dans la sécurité sociale ? Les retraites ? Les crottes de chien sur les trottoirs parisiens ?

Le seul problème qui mériterait la passion et qui devrait la susciter, c'est l'Europe, l'évolution, l'avenir de l'Europe. Mais il est quasiment impossible pour un journal d'y intéresser ses lecteurs. Savez-vous pourquoi ? Parce qu'il n'y a pas d'utopie attachée à l'Europe. Toutes les fois qu'on a exalté les peuples pour les faire entrer dans un combat, c'était avec une utopie à la clef. Au bout du combat, il y aurait le paradis, l'égalité, la justice... Le paradis, c'est exactement, en termes propres, ce que l'on promet aux terroristes. L'Europe, c'est tout le contraire. C'est la raison. Comment passionner avec une cause qui ne possède pas sa part d'utopie ? L'Europe n'a jamais promis le paradis sur terre, elle n'a promis que la paix entre les peuples européens. Et depuis cinquante ans, nous avons vécu ce miracle. Mais les gens n'en ont pas même conscience. Ils sont persuadés que l'Europe ne leur apporte que des réglementations absurdes, que c'est un truc technocratique... On n'a jamais su leur vendre l'Europe parce que les pères de l'Europe n'ont jamais été des utopistes. Berlusconi est le seul chef de gouvernement capable de faire miroiter une utopie à son peuple.

Vous trouvez que Berlusconi, lorsqu'il déclare en campagne électorale : « Ce ne sont pas des promesses d'homme politique que je vous propose mais un contrat d'homme d'affaires », est un utopiste ?

Bien sûr. Son utopie, c'est : « Marchez avec moi, ce que j'ai réussi pour moi je vais le réussir pour vous. »

Quand vous écrivez dans Si je mens... : « *Le pouvoir, c'est répugnant* », *que voulez-vous dire puisque vous l'avez exercé au plus haut niveau dans ce contre-pouvoir qu'est la presse et également au gouvernement ?*

Je ne parlais pas du pouvoir politique mais du pouvoir dans l'absolu en employant le mot « répugnant ». J'ai même fait scandale en écrivant qu'il n'existait pas de bon patron. C'est en effet une façon brutale d'exprimer qu'il n'y a pas de bon pouvoir, dès qu'il s'exerce sur les personnes. Je le crois toujours.

« *Patronne* », *alors comment l'exerciez-vous ?*

Je mentirais si je disais que je n'ai pas aimé une certaine forme du pouvoir. La seule agréable et gratifiante, celle de « pouvoir faire » et de pouvoir entraîner derrière soi une équipe qui vous fait confiance et en qui on a confiance. De partager cette passion, de sortir un journal, le meilleur possible chaque semaine, j'ai connu ce bonheur.

Nous avons commencé ces conversations le 16 mai 2001, jour anniversaire de la naissance de L'Express. *Quel souvenir de ce 16 mai 1953 vous revient immédiatement en mémoire ?*

D'abord la sensation d'une grande fatigue et un sentiment de joie comme à la naissance d'un enfant.

165

Et puis, un épisode touchant et comique. Jean-Jacques voulait m'offrir un cadeau pour marquer ce jour. Il a fait mettre dans un petit cadre cerclé d'or la maquette en réduction de la couverture du journal et il me l'a offert. J'étais émue. Tout de suite, il a ajouté, sans doute pour dissiper sa propre émotion : « J'avais oublié de demander le prix au bijoutier... L'or, c'est très cher. Alors je n'ai pas pu le payer aujourd'hui... » Pour finir, on s'est arrangés avec ledit bijoutier, qui lui a fait crédit. Il faut avouer que nous étions plutôt fauchés ! J'ai toujours ce petit objet qui a bientôt cinquante ans.

Françoise Giroud, qu'est-ce que le journalisme ?

C'est là où bat le cœur du monde.

Épilogue

MARTINE DE RABAUDY. *A quelqu'un qui ne vous aurait jamais lue dans les journaux, quels articles lui conseilleriez-vous pour qu'il fasse votre connaissance ?*

FRANÇOISE GIROUD. J'ai tout oublié... Plus de mille articles, comment s'en souvenir ? Un article, c'est une poignée d'eau, on ne peut pas refermer la main sur lui pour le retenir.

Il y en a peu dont j'ai été contente après les avoir écrits. Et je ne les ai pas conservés. Mais si vous retrouvez celui qui concerne ce qu'on a appelé « Charonne », paru en février 1962 dans un numéro spécial de *L'Express* qui rendait hommage aux huit morts de la manifestation anti-OAS au cours de laquelle les forces de l'ordre avaient ouvert le feu devant la station de métro Charonne... Un autre peut-être sur le suicide de Marilyn Monroe...

Pouvons-nous les publier ?

Si vous remettez la main dessus, bien sûr. Il me semble que ce serait une conclusion logique à notre conversation. Elle parle, elle parle, mais qu'est-ce qu'elle sait faire ?

***

L'ARMÉE DE PARIS

Cette fois, Paris a bougé. Dans l'ordre et le silence.

Cela fait un bruit terrible, le silence de cinq cent mille personnes jaillies de la rue, avançant en rangs serrés, compacts, noirs. C'est le bruit du cœur qui bat, le bruit du sang dans les artères, le bruit que l'on ne perçoit pas avec ses oreilles mais avec sa gorge, comme celui de sa propre voix.

De la colère ? Non. Il n'y avait pas de colère sur les visages. Cette mer humaine n'était pas une mer d'orage. Simplement, une ville debout, bien droite, bien digne, corsetée de calme, marchait, les pieds dans la boue, la tête dans le vent glacé qui soufflait en rafales.

Il y en a qui aiment les défilés militaires, et les uniformes, et les trompettes, et les belles troupes au pas cadencé, et les généraux chamarrés. Mardi, Paris n'offrait pas un spectacle aux vieux petits garçons nostalgiques de leur panoplie.

La foule n'a pas une belle mécanique dans le ventre. La foule a une âme, et des imperméables froissés. La foule est effrayante lorsqu'on la craint. Elle est tendre lorsqu'elle vous berce, lorsqu'on lui appartient, lorsqu'elle est votre force, votre volonté, votre armée.

Paris a levé son armée pour faire, mardi matin, cortège à huit morts.

Qui sont ces morts ? Trois femmes, quatre hommes, un adolescent. Il paraît qu'aux yeux des personnes raisonnables, ils sont morts pour rien. Les personnes raisonnables ont bien de la chance. Elles savent donc où règne, aujourd'hui, la raison.

Moi, je ne le sais pas. Et je le dis. Si j'ai voulu marcher pendant quatre heures derrière huit boîtes noires où dorment, de leur dernier sommeil, des gens que je ne connaissais pas, ce n'est pas pour rendre hommage à leur lucidité. Ce n'est pas non plus pour pleurer des larmes de glycérine. C'est parce qu'une personne, plus une personne, plus une personne – non raisonnables – cela finit parfois par faire cinq cent mille personnes. Et pour se permettre de reprocher aux Français de dormir lorsqu'ils dorment, il ne faut pas être dans son lit à l'heure où les autres marchent.

L'émotion, je ne l'ai pas apportée avec moi, préfabriquée, et nourrie à l'avance de notices nécrologiques. Les noms de morts, je les avais lus, comme tout le monde ; oubliés, comme tout le monde.

À la Bourse du travail, devant les huit cercueils drapés de noir, il y avait quelques visages graves, mais une foule frileuse, hésitante, tremblant d'avoir à se compter trop vite. Il y avait des gens qui disaient : « Où est-ce, le Père-Lachaise ? Vous croyez qu'il y en aura pour longtemps ? À quelle heure part-on ? Tu vois, tu aurais dû mettre un chandail. »

Non, il n'y avait pas d'émotion. Et puis un long ruban de fleurs s'est déroulé, couronnes portées à bout de bras, dizaines de couronnes, centaines de couronnes, milliers de couronnes, parterre mouvant de roses, de tulipes, de lilas rompant le gris du ciel, rompant le gris de la rue.

Alors, le cortège s'est ébranlé, lentement, entre deux haies opaques comme vissées aux trottoirs. Et, lentement, nous avons su que nous serions nombreux. Et, lentement, quelque chose a commencé de se nouer dans la poitrine de ceux qui marchaient. Et, lentement, le silence est tombé.

Le sol humide absorbait jusqu'au bruit des pas.

La veille, du côté de la République, les voitures circulaient, les chaussures claquaient, l'atmosphère était tendue, fiévreuse, bruyante. Des casques brillaient dans la nuit. Il fallait se tenir en main, garder son sang-froid, craindre la provocation, ne pas céder à l'excitation, ni à la peur, ni à la tentation de la témérité, ni à l'envie de rire en pensant que M. Guy Mollet était, lui, à Arras.

Mardi matin, entre la République et le Père-Lachaise, il y avait une ville muette, qui marchait, le cœur lourd.

Ce que chacun a tourné et retourné dans sa tête pendant une heure, deux heures, trois heures, quatre heures, je l'ignore. Hors ceux qui connaissaient le son de leur voix, l'éclat de leur rire, la couleur de leurs yeux, personne ne pensait à ces morts comme on pense à des amis perdus.

Nous n'avions pas un chagrin simple. Mais alors, qu'avions-nous qui nous enrouait la voix et qui nous pressait les uns contre les autres ? Pourquoi étions-nous là, soudés, si nombreux et si divers, impuissants à décrocher

170

de ce cortège qui n'en finissait plus de marcher, impuissants à nous arracher à cette masse en mouvement, malgré l'heure qui passait, malgré la fatigue qui pesait ? Par quoi étions-nous mystérieusement liés les uns aux autres, et tous à ces huit boîtes noires ?

Pas par la haine, non. Heureusement. Il n'y a pas eu un cri. Il n'y a pas eu un mot. Nous n'étions pas l'Armée de la Vengeance. Nous ne voulions pas que l'on tue ni que l'on blesse en notre nom. Nous étions des hommes et des femmes très ordinaires, sans plastic en poche, sans matraque au poing. Nous ne demandions rien que le droit de vivre libres, libres de la terreur, libres du chantage, libres de l'assassinat.

En arrivant devant la porte du cimetière, nous savions que chacun de nous n'était rien mais qu'ensemble nous étions immensément forts. Et nous avions envie de dire merci à ceux dont le sacrifice nous avait permis de nous éprouver ainsi.

À cet instant, le soleil a troué les nuages.

Ce qui devait être une « émouvante cérémonie » avait pris la dimension formidable d'une mobilisation pacifique et silencieuse, où nous étions tous citoyens volontaires, et non passagers indolents d'un rusé capitaine.

Françoise Giroud
L'Express, 15 février 1962

***

171

MARILYN MONROE ET NOUS

Ainsi, on peut être belle et seule. Riche et seule. Célèbre et seule.

Ainsi, on peut être Marilyn Monroe et mourir seule, comme un chien, un dimanche, pour rien. Pour dormir et n'avoir plus à se réveiller, seule, seule dans son cœur sinon dans son lit.

L'horrible, dans cette affaire, n'est pas qu'une femme de 36 ans, qui incarnait la volupté d'être, ait enfin trouvé la paix de n'être plus. L'horrible est que, de par le monde, tant de femmes et tant d'hommes puissent, fût-ce dans la part la plus secrète d'eux-mêmes, comprendre ce geste, entrer dans cette détresse et s'en émouvoir.

C'est donc qu'ils se sentent concernés. Et, en vérité, ils le sont.

Victime de Hollywood ? Allons donc ! Ce serait bien commode. Mais nous ne sommes pas, ici, au sermon du dimanche. Un grand nombre de dames qui se sont montrées plus que nues, qui ont vendu leur corps, leur âme, leur effigie, leur vie privée, qui ont eu quelques maris, beaucoup d'amants, des piscines de marbre rose et des millions de dollars, vivent et vieillissent aujourd'hui paisibles et prospères. L'argent et la gloire, fût-elle douteuse, cela n'a jamais tué personne ; de ce côté-là, la misère est infiniment plus efficace.

Cela n'aide pas à vivre, quand l'instinct vient à vous en faire défaut — ce qui est bien différent.

172

L'envie de vivre

Cela ne rompt pas le cordon de solitude qui s'était renoué, autour de Marilyn Monroe, depuis que son dernier film avait été interrompu et que le procès en cours lui interdisait d'en tourner un autre.

En lui fermant le studio, on lui fermait la seule porte par laquelle elle ait jamais eu accès, fût-ce provisoirement, à une collectivité humaine.

Marilyn Monroe n'eût pas réfugié, dimanche, sa solitude dans la mort, si on l'avait attendue, lundi, pour travailler. Alors ne nous attendrissons pas, si vous le voulez bien, sur le malheur d'être vedette — ce fut son unique joie — et sur le bonheur simple des douces petites ménagères. Il y a tous les jours — consultez votre quotidien habituel — de douces petites ménagères qui se jettent dans un étang ou qui ouvrent le gaz, entraînant parfois dans la mort leurs enfants. Cela fait trois lignes à la rubrique des faits divers.

Ce qui bouleverse, dans le suicide de Marilyn Monroe, c'est justement qu'elle ait choisi de mourir bien qu'elle fût vedette — et non parce qu'elle l'était. Il y avait donc, dans cette chair lumineuse, comme dans toute chair, un noyau de misère humaine irréductible. Et quand il arrive que l'on y touche, on a toujours un peu le vertige.

Marilyn Monroe était un produit achevé de la civilisation du bonheur, la nôtre. Il ne lui manquait, pour vivre heureuse, que l'essentiel, c'est-à-dire l'envie de vivre.

Comment cela vient-il à manquer ? C'est très simple. Un jour, on ne désire plus rien. Un jour, on se découvre mort à l'intérieur. Alors, obliger la machine à tourner quand même, à manger, à boire, à dormir, devient un effort immense, totalement disproportionné avec le but à atteindre : demeurer, extérieurement, en vie.

Pour qui ? Pour quoi ? Pour les autres ? Quand Marilyn Monroe se regardait, dans les yeux des autres, elle voyait quoi ? Un corps.

Oui, ça, elle avait un corps que les garçons observaient en sifflant. Mais un corps, cela ne se donne pas. Cela se prête, jusqu'à ce qu'on vous le rende. Personne ne lui a jamais demandé de garder le sien au-delà d'un délai raisonnable. Aucun de ses trois maris — le second, Joe Di Maggio, la battait — aucun de ses amants dont personne, pas même elle, n'eut jamais la curiosité d'établir la nomenclature.

Peut-être, dans ce corps émouvant, manquait-il quelque chose : un cœur qui fût en état d'aimer, de la désintéresser parfois d'elle-même. Aussi les hommes qui traversèrent sa vie oublièrent-ils très vite de lui donner ce qu'ils ne recevaient pas en retour.

L'échec

Or, n'être pas aimé à 25 ans, ou à 35, ou à 45, on peut toujours s'en arranger, quand on le fut assez à 5 ans. Mais c'est peu de dire qu'elle fut une petite fille sous-alimentée en matière de tendresse. Elle fut simplement ignorée, niée, non existante, jusqu'au jour où elle posséda un corps propice à cet exercice que l'on nomme abusivement l'amour.

Elle en fit des photos, sur des calendriers. Elle en fit de l'argent, pour payer son loyer. Elle en fit l'instrument de sa carrière, de sa fortune, de sa revanche, du peu de confiance qu'elle eut en elle. Mais jamais, jamais elle ne parvint à se rassurer, à se dire : « Je suis un être humain que l'on peut aimer au-delà de sa chair. » Alors, quand elle n'en pouvait plus de terreur et de solitude, elle buvait. Et puis elle se déshabillait. Ainsi, pendant quelques instants au moins, elle existait dans les yeux des autres.

C'était cela, Marilyn Monroe. Une petite fille misérable qui, tout au long de sa vie, a quêté la sympathie, l'intérêt parce qu'elle avait été, ou parce qu'elle s'était crue, enfant, rejetée.

Elle avait si peur de ne pas plaire qu'elle passait des heures à faire et à refaire des maquillages savants, et plus elle les refaisait, moins elle les réussissait. Car elle voulait le succès, mais elle cherchait l'échec. Pour se punir de quoi ?... Dieu et son psychanalyste le savent.

Elle avait si peur de n'être pas attendue qu'elle ne fut jamais, de mémoire d'homme, exacte à un rendez-vous.

Elle avait si peur de n'être rien qu'elle a décidé de le devenir. Ainsi, au moins, personne ne pourra plus lui dire : vous n'êtes rien, rien qu'un corps, et un corps, ce n'est rien.

Pour réclamer le sien, à la morgue de Los Angeles, personne ne s'est dérangé. Elle sera très vite oubliée.

Même par Arthur Miller, cet intellectuel qui avait compris pourtant la tragédie personnelle de cette enfant perdue. Il en a fait un film, mais, de Marilyn, il n'a pas fait une femme.

Le vertige

Il a sans doute trouvé cela savoureux, avec sa grande gueule et ses lunettes, d'enchaîner un temps la plus belle fille du monde par ce moyen intellectuel entre tous que l'on nomme baratin : philosophique, littéraire, politique. Et puis un jour il s'est dérobé, il avait autre chose à penser, et elle s'est retrouvée plus démunie encore.

Tout cela est vrai, mais ce n'est que la vérité singulière de Marilyn Monroe. S'il n'y en avait pas une autre, plus large, caricature monstrueusement agrandie par le prisme de la célébrité, d'une angoisse plus générale, l'annonce de son suicide eût provoqué une sensation, non cette réelle émotion.

C'est toujours égoïste, l'émotion. Participer à un drame, c'est s'identifier momentanément de quelque façon avec le héros de ce drame. Quel rapport peut-il y avoir entre nous, avec nos problèmes, nos difficultés, nos espoirs et nos désespoirs, et Marilyn Monroe[1] ?

C'est très simple. Si, au bout du téléphone blanc qu'elle tenait dans sa main sans avoir eu la force, ou la volonté réelle de le décrocher, vous aviez entendu sa voix de brume disant : « Je vais me suicider », qu'auriez-vous pu ou su objecter ? Lui offrir comme raison de vivre ?

Je vous dis que ce suicide donne le vertige. La preuve en est qu'aux États-Unis on cherche maintenant à démontrer qu'il s'agit d'un « accident ». Et que chacun, sitôt informé, a sécrété, comme une défense, une justification de la mort de Marilyn Monroe, fouillant sa vie pour y trouver en hâte une raison originale, une raison qui n'eût appartenu qu'à elle et qui ne remette pas en question notre système de pensée et notre mode de vie.

---

1. « Something's got to give » (« Il faut que ça craque »). Metteur en scène : George Cukor.

Elle était malade d'elle-même, malade de ses atroces souvenirs, dit-on. Bien sûr.

Abandonnée par une mère démente, errant de nourrices cupides en orphelinats, ignorant qui était son père, livrée à 9 ans aux fantaisies libidineuses d'un vieillard... Déjà que l'on ne guérit jamais tout à fait de son enfance, fût-elle théoriquement heureuse et protégée... Mais alors il faut admettre que la réussite sociale, objectif suprême proposé aux ambitions des jeunes Occidentaux, est une imposture.

La poursuivre, cela peut occuper un moment le temps et l'esprit. L'atteindre, ce serait toucher au vide? Étrange objectif.

Être heureux

Les autres disent : elle ne pouvait pas avoir d'enfant, et elle venait d'apprendre que M. et Mme Arthur Miller attendaient un heureux événement.

Bien sûr. La stérilité est toujours ressentie comme un échec, une sorte d'impropriété à remplir une fonction essentielle. Sauf pour les créateurs, c'est une préfiguration de la mort inscrite dans nos cellules. Mais jamais une femme maternelle ne s'est trouvée en peine de découvrir un objet d'amour. En Amérique, où l'adoption est aisée, moins encore qu'ailleurs.

Si un enfant pouvait constituer une raison de vivre, Marilyn Monroe aurait eu un enfant.

D'autres encore disent : elle se sentait finie. Une femme réduite à n'être qu'un objet de désir ne peut pas voir approcher sans une mortelle angoisse le moment où elle ne sera plus convoitée. Bien sûr. Mais alors, nous sommes fous, et engagés, aussi sûrement que Marilyn Monroe le fut, sur le chemin de l'autodestruction, car nous avons créé un univers où ce n'est plus la sagesse qui est souveraine, mais la jeunesse.

Nous avons imposé aux femmes — et aux hommes — par le truchement de ce moyen formidable de pression sociale, le cinéma, des archétypes auxquels ils s'épuisent à vouloir ressembler. Personne ne se sent plus le droit d'être laid, d'être gros, d'être âgé, d'être humain, sous peine d'être éliminé, jusque aans son travail, par une société impitoyable à ceux qui abdiquent leur prétention à la beauté et à la jeunesse.

C'est cela, une civilisation? Cette peur panique de la mort? Cette impossibilité où nous sommes tombés d'assumer le destin de l'homme qui est de vieillir?

Je regrette de ternir une image touchante et romantique, celle de Marilyn Monroe, jeune femme aux entrailles maudites, livrée au néant par la sombre fatalité qui devrait s'attacher aux déesses de l'Olympe moderne. Mais prenez n'importe quelle femme de 36 ans normalement constituée, faites-la maigrir de 15 kilos en trois mois, et vous la conduirez d'une main sûre à la neurasthénie.

Or, si elle a 15 kilos de trop, par rapport aux mensurations idéales qui lui sont régulièrement proposées, elle sera également neurasthénique. Vous voyez bien que nous sommes fous ou sur la voie de le devenir...

D'autres, enfin, disent : elle était alcoolique.

Bien sûr. Mais pourquoi?

Il fallait autrefois, pour vivre décemment, aimer Dieu et se rendre digne d'être aimé de lui. La tâche était inépuisable et le devoir tracé, même non respecté.

Dieu est mort, et — quoique sans cesse invoqué — il l'est plus encore aux États-Unis qu'en Europe.

Le devoir, maintenant, c'est d'être heureux. De plus beau programme, il n'y en a pas. Mais il devient urgent de commencer à enseigner dans les écoles comment on y parvient.

Sur tous les écrans du monde, le tendre fantôme de Marilyn Monroe devrait du moins nous rappeler comment on n'y parvient pas.

Françoise Giroud
L'Express, 9 août 1962

REPÈRES BIOGRAPHIQUES

1946-1951. Rédactrice en chef de *Elle*.

1953. Fondatrice avec Jean-Jacques Servan-Schreiber de *L'Express* et directrice de la rédaction.

1964. Changement de la maquette du journal, transformé en news magazine à l'image de *Time* : 47 % d'augmentation des ventes.

1971. Crise au sein de la rédaction. Claude Imbert et huit autres journalistes quittent *L'Express*. Ils créeront *Le Point* avec Hachette.

16 juillet 1974-25 août 1976. Secrétaire d'État à la Condition féminine dans le gouvernement de Jacques Chirac.

1975. Vente de *L'Express* à Jimmy Goldsmith.

27 août 1976-30 mars 1977. Secrétaire d'État à la Culture dans le gouvernement de Raymond Barre.

Depuis 1986, éditorialiste au *Nouvel Observateur*.

BIBLIOGRAPHIE

Ouvrages de Françoise GIROUD :

Françoise Giroud vous présente le Tout-Paris, préface de Marcel ACHARD, Gallimard, coll. « Air du Temps », 1952.

Si je mens..., Stock, 1972.

Ce que je crois, Grasset, 1978.

Une femme honorable, Marie CURIE, Une vie, Fayard, 1981.

Leçons particulières, Fayard, 1990.

Les hommes et les femmes (avec Bernard-Henri LÉVY), Olivier Orban, 1993.

Journal d'une parisienne, Le Seuil, 1994.

Cœur de tigre, Plon/Fayard, 1995.

Arthur ou le bonheur de vivre, Fayard, 1997.

La rumeur du monde – Journal 1997 et 1998, Fayard, 1999.

Portraits sans retouches, 1945, 1955, Gallimard, coll. « Folio », 2001.

On ne peut pas être heureux tout le temps, Fayard, 2001.

Autres ouvrages

Yves COURRIÈRE, *Pierre Lazareff,* Gallimard, coll.
« Bibliographie NRF », 1995.

Michel WINOCK, *Le Siècle des intellectuels,* Le Seuil,
1997.

Jacques DEROGY, *Une ligne de chance,* Fayard, 1998.

1936-1986, 50 ans de politique étrangère de la France,
IFRI, revue n° 1 à 4, 1985.

François MAURIAC, *Bloc-notes,* t. 1, 1952-1957, t. 2,
1958-1960, Le Seuil, 1993.

L'Herne 1985, *François MAURIAC,* Cahier François
Mauriac dirigé par Jean Touzot.

La Documentation française, 1996, *Les Affaires
culturelles au temps d'André Malraux, 1959-1969.*

Olivier TODD, *André Malraux, une vie,* Gallimard,
NRF, 2001.

André MALRAUX, *La politique, la culture,* Gallimard
coll. « Folio », 1996.

Henri GODARD, *L'amitié ; André Malraux,* Gallimard, 2001.

Hommage à André Malraux (1901-1976), NRF, juillet 1977, n° 295.

Olivier TODD, *Albert Camus, Une vie,* Gallimard,
coll. « NRF Bibliographie », 1996.

Bernard-Henri LÉVY, *Le Siècle de Sartre,* Grasset,
2000.

Annie COHEN-SOLAL, *Sartre 1905-1980,* Gallimard,
1985.

Simone de BEAUVOIR, *La Cérémonie des adieux,* Gallimard, coll. « Folio », 1981.

BIBLIOGRAPHIE

Raymond ARON, Mémoires, *50 ans de réflexion politique,* Julliard, 1983.

Jérôme GARCIN, *Pour Jean Prévost,* Gallimard, 1994.

Jean-François REVEL, *Mémoires, le voleur dans la maison vide,* Plon, 1997.

Jean-François REVEL, *Pourquoi des philosophes — pour l'Italie — sur Proust — la cabale des dévôts — contrecensures — Descartes, inutile et incertain,* Robert Laffont, coll. « Bouquins », 1997.

Bernard PIVOT, *Le Métier de lire,* Gallimard, coll. « Folio », 2001.

Table des matières

Achevé d'imprimer en décembre 2001
sur presse Cameron
*par **Bussière Camedan Imprimeries***
à Saint-Amand-Montrond (Cher)

N° d'édition : 18699. — N° d'impression : 015637/1.
Dépôt légal : décembre 2001.

Imprimé en France

ISBN : 2-01-235595-1